漢民族に支配された中国の本質

なぜ人口侵略・ジェノサイドが起きるのか

三浦 小太郎

ハート出版

序章　今なぜ長野朗なのか

再評価される「稀代のチャイナ・ウォッチャー」

まず、次の文章を紹介したい。

支那《しな》は何《な》んと云《い》っても四千年の長き文明と四億の民を包容した老大国だけに種々な方向に於《おい》て世界に誇るべき偉大なる或《あ》る者を有《もっ》ている。殊《こと》に我々島国人には支那の大に就《つい》て学ぶべき多くの点がある。（中略）

支那は国家と民族とは全く別物で、国家としての支那は現に混乱に混乱を重ね財政は窮乏して列国の共同管理説等がやかましく唱えられているし、軍閥は日本の戦国時代見たように方々に割拠し、私兵を養い、戦争ばかりやっていて中央政府の命令等は誰も聞かず租税は勝手に取り上げて中央には送らない、それに土匪《どひ》が全国に百万人もいて掠奪《りゃくだつ》や放火殺人をやっているが誰も取締って呉《く》れるものがない。と云う有様で誠に話にならない、列国が愛想を尽かすのも無理は無いが、そこは支那の国家であって、支那人、支那民族は戦争があろうが土匪が暴れようが、そんなことには一向お構いなく、国家の衰亡と正反対にどしどし発展して行く所はどうも豪《えら》い、日露戦争で常陸丸《ひたちまる》が沈んだために上村中将の宅に石を投げ込んだ国民とは比較にならぬ。

この文章は、長野朗《ながのあきら》（一八八八～一九七五）が一九二五（大正十四）年に発表した『支那に何を学ぶべき乎《か》』からの引用であり、呉ＰＡＳＳ出版から復刊された『支那の真相』に収録されている。

長野朗は一八八八年、福岡県に生まれ、陸軍士官学校を卒業し、辛亥《しんがい》革命後に中国へ派遣され、その後、現地で中国情勢をつぶさに観察した。一九二一年には軍を去り、中国の情勢分析と、日本のとるべき外交政策を通信社、雑誌などに寄稿、様々な著作を出版し、第一級の「支那通」、今の言葉で言えばチャイナ・ウォッチャー、中国専門家として活躍した。

また、長野は日本国内の問題にも積極的に関与している。血盟団事件や五・一五事件など、いわゆる昭和維新運動に多大な影響を与えた思想家、権藤成卿《ごんどうせいきょう》に深く共感し、権藤の指導下、日本農民救済運動にも参加した。権藤の指示は、過激なテロやクーデターよりも、農村救済のための具体的な支援を求める請願運動を中心としたもので、長野はこの方面でも優秀な組織者として活動し、同時に権藤思想に影響された著作を残している。

大東亜戦争敗戦後、長野の著書の多くはＧＨＱによる出版禁止処分を受けるが、戦後も長野は中国共産党に対する批判的考察などを発表、一九七五年に東京にて逝去した。長野の活動と思想については、以下に続く各章にて随時論評していくが、この略歴を見ただけでも興味深い人物である。

大東亜戦争敗戦後、長らく葬られていた長野朗の著書が、近年再び読まれるようになったのは、評論家の西尾幹二氏、宮崎正弘氏らによる再評価によるところが大きいだろう。特に西尾氏は、長野朗を、中国人の本質を最も深く理解した代表的論客として評価し、その埋もれていた著作を発掘した。その影響もあってか、現在では呉ＰＡＳＳ出版より長野の主要著作が復刊され、簡単に入手できるようになっており、今後も長野の再評価は進むことだろう。

西尾氏の長野朗についての論考は『ＧＨＱ焚書図書開封７　戦前の日本人が見抜いた中国の本質』（徳間書店）に集約されており、西尾氏は長野の主要著作を丹念に読み込むことによって、長野が当時の中国大陸の情勢を、現地の民衆との直接の交流を通じて深く理解していたことを立証した。特に長野が、中国を古典的な文献でしか理解せず、その実態を理想化しがちな中国学者たちの幻想に陥《おちい》ることなく、漢民族の残酷さ、前近代的社会の野蛮さを見抜いていたことを強調し、戦後においても、貝塚茂樹のような中国学者が毛沢東や文化大革命の実態を見抜けなかったことに比べ、長野の先見性を高く評価した。

しかし、西尾氏の次のような文章を読むとき、果たして、これが長野の漢民族論の本質であったのかどうか、少し疑問に思えるところがある。

中国というのは何でも壊してゼロにする破壊の国です。そして、現世の享楽だけを求める。日本から見て情けない国です。学ぶべきことのほとんどない国、それがシナであり、中国です。そう申しあげても言い過ぎにはならないと思います。

西尾幹二『GHQ焚書図書開封7　戦前の日本人が見抜いた中国の本質』

西尾氏の長野著作への読解は、漢民族の野蛮さ、前近代性、侵略性を暴露したこと、同時に戦前のアジア情勢を、日本と欧米、中露の国益とナショナリズムの衝突としてリアルに分析した着眼点を高く評価するものだった。そして翻《ひるがえ》って、戦前から現代にまで及《およ》ぶ日本の対中認識の甘さや、現在の移民問題に対する危機感のなさへの批判意識を提起している。この西尾氏の読解は、現在のところ、ネットなどに散見する意見を読む限り、長野朗への評価として、ほぼ基本的な認識となっていると思われる。

確かに長野は、歯に衣《きぬ》を着せず、現在ならば確実に「ヘイトスピーチ」と見なされるだろう激しい中国批判を随所で行っている。しかし、長野は同時に、孫文の三民主義（民族主義・民権主義・民生主義）を辛亥革命当初は極めて高く評価し、その日本語訳をも手掛けており、漢民族の文化や生活意識に対しても、ある種の共感をもって接していた。しかし、辛亥革命によって成立した中華民国が、その三民主義の理想（長野の考える）を裏切り、堕落していく経緯に深く絶望し、その後、中国の実情をこれでもかこれでもかと批判、漢民族の民族性をも否定的に、時には露悪的なまでに論ずるようになる。

だが、冒頭の文章からも読み取れるように、それでも長野は、漢民族の「国家」や「政治」とは関わりなく生きていく姿勢と、その基本精神をなす、前近代のアジア社会における「鼓腹《こふく》撃壌《げきじょう》（人々が天下泰平を楽しむ様子）」「帝力《ていりょく》我において何かあらんや（帝《みかど》の権力など自分には関係ない）」といった精神を評価していた。この発想は、先述した権藤成卿が、「社稷《しゃしょく》」こと、近代以前の日本農村共同体の自治精神を高く評価した姿勢とも共鳴しているように思われる。

権藤は何よりも、明治以後の近代化が伝統的な民衆共同体を破壊し、民衆の自治精神が官僚統制にとってかわられることを批判した思想家だった。その権藤思想に共感した長野は、中国民衆の中に、国家や権力に頼ることなく生きていく、本来の民衆精神を見いだしていたのかもしれない。

さらに長野は次のように論じていく。戦争で疲弊し、土匪に交通が妨害されようとも、一方で「支那の貿易額は逐年躍進的に増進して行く、産業は浸々として発達」し「年々新式工場の数は増え」紡績などを例に確実に品物の質は向上している。このあたりの長野の指摘は、近年の「中国崩壊論」が、少なくとも現実によって裏切られていった過程をも想起させるものがある。中国の国内矛盾をいかに指摘、分析しても、それだけで中国の実態に迫れるわけではなく、いかにその統計数字に粉飾があったとしても、一定の経済的発展は実行されていると見るべきなのだ。

長野は漢民族の経営法が極めて理にかなっていると述べており、特に商人同士の相互扶助システムを高く評価している。そして、弱体化し、かつ税だけは厳しく取り立てる政府に対する抵抗意識が、資本主義経済を体験し、経済的自由の意義を知った商人たちや労働者たちの中で確実に生まれてきていること、それが中国社会の近代化につながっていることも指摘している。このあたりの長野の筆は、数十年後の「改革開放」政策を、ある意味予見していたかのようだ。

同時に長野が明確に指摘しているのは、漢民族による他民族侵略の本質である。長野は、たとえ対外戦争に勝とうと負けようと、漢民族は水が砂にしみこんでいくように、他民族の領土に移民という形で侵入し、その地を支配していくことを指摘している。西尾氏も長野の著作から教えられたこととして強調している歴史的事実の一つが、満洲帝国建国の時点で、すでに満洲人は、同地においても少数派となっていたことだ。これは長野の主観的分析ではなく、中国学者の宮崎市定《いちさだ》なども認めていることである。

西尾氏は一九八〇年代の最も早い時点で、外国からの単純労働者受け入れに警告を発し、欧州の失敗した事例などを研究して「労働鎖国」こそが日本の取るべき道であることを訴えてきた知識人だった。その時点では、西尾氏はむしろ日本社会の変質や、労働者の受け入れが逆に差別や国内格差の拡大につながる危険性などを指摘していたが、現在は、それ以上の大きな問題として、中国政府による移民という形をとった「人口侵略」の危険性を西尾氏は訴えている。この問題においても、長野の著作は、現代の私たちにとっても避けては通れない問題を提起しているはずだ。

長野朗はある意味、中国を、漢民族を愛し、理解した「支那通」の一人だった。彼は孫文と国民党の中国革命の理想を、その現実以上に高く評価した時期があった。彼の日本における政治運動には、明らかに三民主義からの影響が見て取れる。長野の中国批判は、時として讃美と表裏一体であり、また彼の罵倒は、時として愛情の裏返しのようにも読める。何よりも、軍閥や国民党の指導者だけでなく、底辺の中国民衆とも長期にわたって接してきた長野の率直な中国観は、現代の私たちにも学ぶところ多大なものがある。

そして同時に、中国の民主化運動、各民族運動に深い共感を持ち、彼らと連帯して行動している多くの日本の政治家や国民にこそ、偏見を持たず、長野の著作に触れてほしいと私は思う。中国における民主化の実現や、各民族独立の理想を実現しようとするとき、私たちがまず触れなければならないのは、中国の現実なのであり、それを直視しようとした先達の言葉に対して、その賛否は別として、目をそむけてはならないはずだ。

本書では、長野朗の中国革命観や社稷思想をまず検証した上で、主要著作『支那の真相』『支那三十年』『民族戦』『アジアの怪奇 中共』などを読むことを通じて、私たちが長野から何を学ぶことができるか、そして、ある意味で「変わらざる中国」の姿を再発見していくことを目指すものである。

なお、本書においては、長野の原文にある「支那」という言葉は、そのまま使用する。これ自体は差別語ではなく、当時使われていた言葉である。ただし、私自身の表現においては、長野はこの言葉を漢民族（漢人）の意味で使用しているので、そのように言い換え、当時の正式国名である中華民国、また中華人民共和国などを使用することをお断りしておく。

また、原著からの引用に際し、旧字は新字に、旧仮名づかいを新仮名づかいに改めた。明らかな誤字・誤記については修正し、難読字にはふりがなを付した。一部の引用は呉ＰＡＳＳ出版の復刊本による。

もくじ

第三章 長野朗が見た絶望の中国 77

第四章 『民族戦』 115

第一章　中国革命への夢と挫折

――長野朗の原点

「陸軍支那通」の存在

長野朗について語る時、まず私たちは「陸軍支那通」と言われた一連の軍人の存在と、彼らが日中近代史にユニークな足跡を残したことを知っておく必要がある。彼らは陸軍の指令のもと大陸に派遣され、情報収集や諜報活動のみならず、中国軍や軍閥の軍事顧問をも務め、しばしば本国からは「独断専行」と思われるほど積極的に独自の活動を行った。なお、東京裁判で死刑判決を受けた、板垣征四郎、松井石根《いわね》、土肥原賢二らは、広い意味でこの「支那通」軍人であった。彼らの活動は、頭山満《とうやまみつる》や内田良平に代表される、玄洋社系の大陸浪人や、宮崎滔天《とうてん》や北一輝《きたいっき》のような民間のアジア主義者同様、日中の歴史を語る上で無視できない存在である。

彼らの足跡は、明治維新直後にまでさかのぼる。一八七二（明治五）年、当時の参議西郷隆盛の提案により、陸軍少佐と大尉が外務省出仕となり清国に派遣され、二人は商人に変装して南満洲の調査に当たった。翌七三年にも、陸軍は中国語習得と国情偵察のために将校六名と下士官一二名を派遣している。

西南戦争などの国内動乱による中断を経て、一八七九年には、当時ヨーロッパの軍事制度を学んで帰国した桂太郎によって、清国への陸軍将校派遣体制の整備と組織化（給与の改善、派遣期間の明示、駐在地の指定、また別途清国留学生の派遣など）が行われた。だが、この最初期の清国に対する情報収集の試みは、日清戦争によって再び中断する。陸軍による大陸における情報活動が本格化するのは、日清戦争以後、明治三〇年代のことになる。

　これまでの時期に派遣された軍人たちは、中国問題に強い関心と情熱を持ち、危険を恐れず、充分な中国語の知識もない状態で大陸に渡り、時として独断専行的な行動に出る者もいた。彼らに共通していたのは、西洋列強の圧迫に対抗するために、日中はじめ東洋諸国は連帯すべきだという「東亜保全」（戸部良一『日本陸軍と中国』ちくま学芸文庫）の思想だった。しかし、日清戦争以後は、陸軍大学にてエリート教育を受けた卒業生のうち、希望者や属性の高いものを選抜して清国に派遣するやり方に改められた。

　同時に、日清戦争後は、日本軍人がその優秀さと近代的な知識を評価され、清国軍の軍事顧問として雇われるようになった。注目すべきなのは、近代中国史における独裁者として名をはせることになる袁世凱の軍事顧問にも、寺西秀武、坂西利八郎などの日本軍人が招請されていたことだ。袁世凱の子飼いの部下たちは、後に軍閥として大きな勢力を持つようになるが、彼らと日本軍人との交流は、この段階から始まっていたのである。

袁世凱

　たとえば、初期「支那通」軍人の一人である青木宣純《のぶずみ》は、元々派遣将校として清国に三年駐在した後、日清戦争に従軍、一八九七年から少佐で清国公使館付属武官となった。一九〇〇年、青木は当時山東にいた袁世凱から軍事顧問として誘われたが、同時期に起きた北清事変（一九〇〇年、北京に集結した宗教結社「義和団」と共に当時清国の独裁者だった西太后が日本を含む各国に宣戦布告、北京の外国公使館を包囲する。これに対し、オーストリア＝ハンガリー帝国、フランス、ドイツ、イタリア、日本、ロシア、イギリスとアメリカの連合軍が出動、包囲を解いて公使館員らを救出した）と重なったため実現していない。

青木は、一時は帰国して大佐に昇進したが、日露関係の緊迫と共に再び公使館付属武官となり、対露諜報活動の任務を受ける。天津において青木は再び袁世凱と会見し、ロシア帝国の南進に抵抗するために、敵情探知機関創設、敵陣の交通路破壊、馬賊団を活用しての軍事作戦を行うことなどについて、袁世凱の了承と協力を得ている。

青木宣純

袁世凱はこの時期、ロシアの脅威に対抗するため日本との協力を目指しており、この時点ですでに陸軍参謀部と連絡をつけていた。そして、実際に日本軍と袁世凱との連絡役を務めたのは、北清事変時に北京籠城戦を戦った守田利遠《としとう》だった。彼ら「支那通」軍人たちは、日露戦争を通じて様々な特殊工作を行い、その任務は戦後も続く。

この時期もまた、彼らは袁世凱の幕僚たちと深い交流を持ったが、その中には段祺瑞、馮国璋など、将来、日本と深いかかわりを持つ軍人がいたことは注目すべきだろう。

日本政府は袁世凱には好意的ではなかったが、孫文ら革命派よりは、袁や有力軍閥の方が現実の統治能力を持っていると判断する傾向がしばしば見られた。こうした軍閥と日本軍将校との長い関係があったことも、多少この判断に影響を与えていたのかもしれない。

このような経緯を見ても明らかなように、当時の日本陸軍は、外務省を含むあらゆる日本国内の組織以上に、深く大陸に関わり、清帝国の上層部から情報を得るだけではなく、共に工作活動や軍事活動を行っていたのである。現在の史家は、しばしば陸軍の大陸における「独断専行」を批判するが、こうした「支那通軍人」をはじめとして、当時の日本陸軍以上の知識を大陸に対して持つ組織はなかったということは、忘れてはならないだろう。

一九一一年に辛亥革命が勃発すると、情報収集の必要性から、さらに多くの軍人が現地に送り込まれていく。しかしこの中で、いわゆる旧時代の支那通と、新しい世代との間には、次第に意見を異《こと》にする傾向が表れてきた（前掲書『日本陸軍と中国』）。新旧両世代とも、日中両国が連帯して西洋列強に対抗すべきだという共通の思想に根差してはいたのだが、辛亥革命とそれ以後の現状に関する見解が、大きく異なっ

孫文

ていたのだ。

一九一一年、武漢で辛亥革命発生、清帝国はほとんど抵抗することもなく崩壊する。しかし、新たな革命政権は統一したリーダーもなく混乱し、翌一二年、帰国した孫文が大総統となるが、軍事力も資金力も持たない象徴的な指導者に過ぎなかった。

この年のうちに、袁世凱が革命の最も優秀な指導者の一人だった宋教仁を暗殺、軍事力をバックに権力を手中にする。

孫文はこれに対抗し、第二革命を志して袁世凱に対し蜂起を試みるが、あえなく失敗。

その後、袁世凱は皇帝として即位することを目指したが、さすがに誇大妄想的で時代錯誤の発想として、配下の軍人にすら反対派が多く、袁は孤立のうちに一九一六年死亡する。

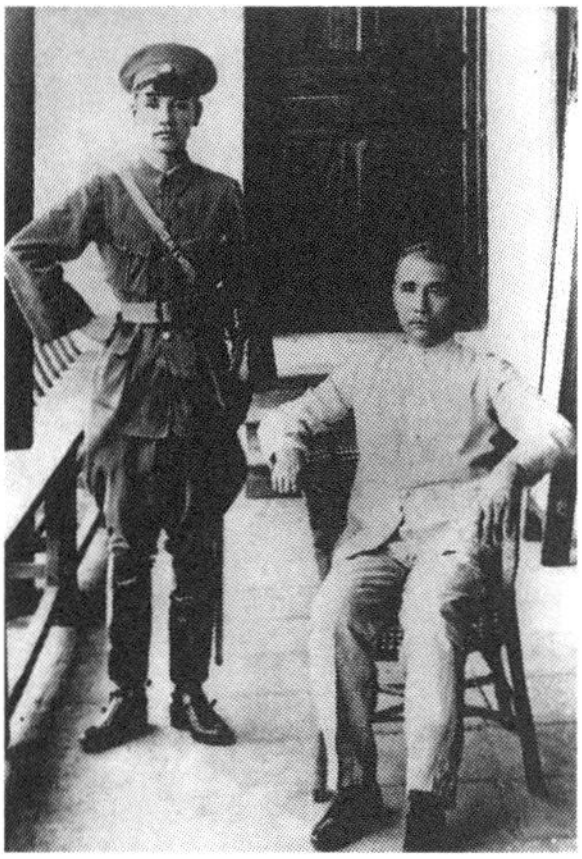

蒋介石（左）と孫文（右）

これ以後、北方では軍閥抗争が激化、孫文ら国民党は広東を中心に何度も、政権確立と北伐による中国統一を目指す。この過程で生まれたのが、ソ連からの支援と共産党との「国共合作」であるが、北伐の結果を見ずして一九二五年に孫文は病死、国民党は蒋介石の時代に移り、いよいよ北方の軍閥を打倒する北伐遠征に至る。

このような時代過程については、本書でも何度か触れていくことになるが、辛亥革命以前から活動していた支那通軍人は、早い時点から辛亥革命に対し悲観的な見通しを持ち、中国の混迷と分裂は深まるばかりだと予測していた。しかし、辛亥革命前後に派遣された新世代の支那通軍人は、孫文の三民主義や、国民党が目指す軍閥との対決、そして最終的な目的である近代国民国家建設の夢に対し、深い共感を示す傾向があった。

長野朗は、このような「新支那通」軍人の一人として、歴史に登場したのである。

長野朗と「三民主義」(一)――民族主義という名の他民族支配

辛亥革命勃発の翌一九一二年、陸軍士官学校を卒業していた長野朗は、日本疎開地警備のために漢口に派遣された。その後、長野は何度も中国に渡り、一九一九年には語学留学生として北京に出張、一九二四年には自ら陸軍を去った。長野の著作は、その多くが中国問題についてのものであり、一九二〇年代から戦後の五〇年代までの間に、その数五〇冊に及ぶとされる。これだけの著作をものにしたのは、ある時期から長野が軍を離れ、文筆家として自由な立場で語るという立場を明確に位置付けたからであろう。だが、その出発点があくまでも「新支那通」軍人であったことは、長野の思想を語る上で重要なことだと思われる。

当初、長野は辛亥革命の、特に孫文の三民主義の熱心な支持者であり、この革命運動は、中国一国にとどまらず、全世界的な影響をもたらす巨大な事件であると考えていた。あえて言えば、長野の理解した三民主義は、実際の孫文の思想よりも、はるかにラディカル（過激）なものだった。ここではまず、長野がどのように三民主義を解釈していたかを簡略に紹介する。

長野は、孫文の書いた『三民主義』を一九二五年に自ら翻訳し、その内容を次のように説明している。多少長くなるが、長野の三民主義観を知る上で重要なものなので、できるだけ正確に引用しておきたい。

> 三民主義は孫文は救国主義だと云って居《い》るが、内容は民族主義と、民権主義及《および》民生主義の三つに分《わか》れて居る。
>
> 民族主義の目的は支那が国家としての自由平等を獲得する事である。支那が今日の状態にあるのは、支那に民族思想がないからだと孫文は云って居る。更に彼は支那民族は二つの圧力の下《もと》に苦しんで居るから、民族を滅亡から救おうとすれば之《これ》を排斥せねばならぬと云って居る。
>
> 長野朗『支那は動く・支那を見よ』

この圧力とは、西洋列強の政治的、経済的圧力のことである。特に長野は、孫文の言葉を借りつつ、政治的な植民地支配や圧力と同様に深刻なのは経済的侵略だとし、実例として外国銀行による金融界独占、租界や租借地の存在、外国企業の特権による市場の独占などを挙げている。

長野は、この危機を打開するためには、国民にこの現状を啓蒙し、民族主義の発達、国民道徳・知識の回復などを実現することこそ三民主義の実践であるという意識を孫文と共有していた。その上で、目覚めた中国は、西欧の科学技術を、教育により取り入れることになるだろうと予測する。

これは、明治時代の「和魂洋才」「富国強兵」による不平等条約の撤廃過程を思わせる。孫文も、近代化のモデルとして日本国の在《あ》り方をイメージしており、長野もまた同様に、孫文思想に中国版の明治維新の像を投影していたのだろう。

しかし、ほぼ単一民族であった日本と異なり、中国は多民族国家である。その点を長野は適切に意識し、目指すべき民族主義の方向性について、重要な指摘を行っている。

> 民族主義は今二つの方向に発達の道を求めて居る。一つは国内的に各民族の自由平等を計る事である。其《そ》のために満族専制の清朝が倒され、五族共和の支那が起《おこ》った。この後と雖《いえど》も、一民族が他民族を圧迫する事は全然許さないと云うのである。第二には対外的に支

那民族の自由平等を求むるものであって、今日行われて居る反帝国主義運動は之を目標としたものである。〔同前〕

国民党の民族主義は之を両方面から解釈することが出来る。一方支那国民は自ら解放を求めなければならぬ。又《また》他方支那国内の各民族は一律平等でなければならぬ。国民党は民族主義貫徹のため、先《ま》ず諸民族の諒解を得る必要を認むる。（中略）ここに国民党は宣言を発するに当《あた》り、支那国内各民族の自決権を承認し、帝国主義に反抗し、軍閥を駆逐して国民革命に成功し、然《しか》る後《のち》自由統一的各民族の自由連合的中華民国を組織せんとするものである。

長野朗『国民革命全史』

ここで長野は、孫文や国民党の初期の発言を借りつつ、本来理想とする民族主義について述べている。もともと、孫文らの革命は、満洲人に支配された漢民族の解放を目指す「排満興漢」を最初のスローガンにしていた。その論理を一貫すれば「一民族が他民族を圧迫する事は全然許さない」ことは当然である。そして、中国の歴史が、長野の理想通りに、各民族の民族自決権の尊重をその国家理念として選択すれば、今日のようなウイグルやチベットの民族問題は、もともと生じなかったはずだ。しかし、長野の解釈する孫文と国民党の民族主義とは、現実のそれとは、かけ離れたものに過ぎなかった。

孫文が唱えた民族主義は、確かに最初期においては、満洲人の支配を打倒して漢民族の政府を樹立することにあった。逆に言えば、満洲以北の土地は別世界と考えていたふしもあった。孫文のこの姿勢は、辛亥革命直後、革命政府の資金難を解決するために、桂太郎の密命を受けた三井物産社員の森恪《かく》と交渉した時に典型的に現れている。日本側の満洲租借借与を認め、その代わりに一千万円（現在ならば一千億円ほどになろうか）を緊急に貸してほしいと求めたのだ。結局は実らなかったものの、孫文にとっては売国外交でもなんでもなく、もともと「清朝の領土」である満洲についてそれほどのこだわりは持っておらず、ロシアの脅威に対する防波堤として日本を味方につけ、かつ革命政府維持のための資金が得られるのならば、政治的妥協としてなんら問題ないと考えていたのだろう。

だが、その孫文の「民族主義」は次第に、漢民族による他民族への支配という伝統的な中華思想に傾斜していく。一九一二年の臨時大総統職宣誓書においては「五族共和」「漢、満、蒙、回、蔵の諸地方を合して一国」となすと述べ、モンゴル、チベットをも領土として引き継ぐことが宣言された（新疆はすでにこの段階で省として組み入れられていた）。そして一九二一年の講演「三民主義の具体的実施方法」（加々美光行『中国の民族問題』岩波現代文庫）においては「満、蒙、回、蔵を我が漢族に同化させて一大民族主義国家となさねばならぬ」という、露骨な同化主義政策を打ち出している。なお、この路線は蒋介石にも受け継がれてゆく。

つまり孫文の民族主義とは、初期においては満洲人支配からの漢民族解放以上のものを意味していなかったが、政権獲得後は、漢民族による他民族支配という中華思想に転換した。さらにその後、一九二四年の国民党全国代表大会における宣言では、民族主義の名のもとに、中国を半植民地状態においている各帝国主義国、並びにそれと結託する軍閥や一部資本家との闘争を呼びかけるに至っている。これは中国共産党（一九二一年、ソ連共産党主導下で結成）と国民党の合作によるもので、ソ連の影響を明らかに受けた方針だった。長野は少なくとも最初期においては、孫文や国民党の民族主義における変質を見抜けなかったと言わざるを得ないだろう。

だが、長野はこの変質をすぐに実感した。清朝支配打倒の後に来たものは、単なる漢民族の支配にすぎず、清朝時代には多少なりとも保護されていた民族の自治は、革命後むしろ圧迫され「五族共和は一場の夢と化した」のであった。

> 支那は五族共和と云っているけれども漢人を除いた外の四族である満洲族、蒙古族、回教族、西蔵族は何時《いつ》の間にかだんだん漢民族に圧倒されて支那は漢民族の一大国家に化しつつある。試みに満洲を見ても、満洲は最早《もはや》満人の満洲ではなく漢人の満洲になっている。今でも山東、直隷方面からどしどし満洲に出掛けて行く。（中略）

> 最近著しく発展しつつあるのは北京から北方内蒙古を縦貫している京綏鉄道沿線である。（中略）最近鉄道の敷設と共に開墾が盛《さか》んに行われ（中略）こうして鉄道の延長と共に漢人種はだんだん経済的に内蒙古を征服して行く、（中略）
> 更に四川から青海、西蔵方面への漢人の移住も可《か》なり前から行われて西蔵族同族の領域に喰い込みつつある。これで鉄道が陝西から甘粛、新疆へ、又四川、雲南から西蔵へと伸んで行ったならば漢民族は雪崩れを打って押し出して行くだろう。
>
> 長野朗『支那に何を学ぶべき乎』

この事実を、長野は彼の主要著作の中で、特に満洲や蒙古の例をあげて何度も繰り返し説明している。現実に中華民国内部で起きていたのは、圧倒的な人数で移民してくる漢民族の人口侵略に、各民族が直面する事態だったのである。

言うまでもないことだが、長野がここで予言した内蒙古こと南モンゴルやチベットへの侵略は、中華民国時代にも行われ、さらに中国共産党政権下で完全に実現した。現在、モンゴル、チベット、ウイグルなど各民族は、「自治区」という名のもとでの漢民族の植民地支配という最悪の状態に置かれてしまっている。近年の西蔵鉄道建設に象徴されるように、鉄道やインフラの整備は、大量の漢民族移民が各民族の土地に送り込まれることを意味した。

これらの事態を、長野は予言していたとも言えるだろう。長野は三民主義における民族主義に、あらゆる民族の自決権の確立を夢見たが、その夢は無残に踏みにじられたのだった。その具体的な実態、特に満洲における「侵略」と満洲人滅亡の実態は、長野の他の著作に触れる中で再説することになるだろう。

長野朗と「三民主義」（二） ——民権主義への過大評価と裏切り

三民主義のうち、民族主義に続く民権主義について、長野は孫文の思想を次のように紹介している。

> 次は民権主義であるが、之《こ》れは人民の政治的平等を求むるものである。人民が政治を管理する民主主義である。
>
> 長野朗『支那は動く・支那を見よ』

さらに長野は、以下のように説明する。これまで支那には君主権はあっても民権は存在しなかった。民衆伝統の中には、古来賞賛してきた堯舜《ぎょうしゅん》の世、つまり善き政府が民の幸福を実現する理想があるが、これも専制君主の体制であることに変わりはない。しかし同時に、支那では古来、自由平等の精神はよく発達してきた。これは政治が民衆に対して放任主義であり、欧州のような封建性や階級制度が存在しなかったからである、と。

この長野の説明において、「自由平等」なる近代政治学の言葉が、当時の中国に対して使われていることを異様に感じる人も多かろう。しかし、長野が孫文の言葉を通じて言いたかったのは、中国の伝統的な専制体制が、民衆の生活に直接干渉することは極めて少なく、民衆はその生活空間の中でほとんど政治権力の影響を受けずに暮らしてきたということである。これは、先にも少し触れた「鼓腹撃壌」という言葉に代表される、アジア的な専制体制における、権力と民衆の完全な隔離を指摘しているのだ。長野は、政治とは関係ない世界で生きていく民衆の自治意識と、生活者としての自立の姿勢を生涯高く評価し続けた（この姿勢は、どんなに中国を批判するときも変わらない）。

それでは、このような政治と民衆が分離した世界で、西欧近代の民権思想、民主主義思想をいかに実現していくのか。長野は孫文の思想を引きつつ説明してゆく。

> 然らば民権の実行をどうするかと云ふに、其《その》根本方法としては権と能とを分別する。権力は人民の手に確実に保有し、其の行使は之を有能なものを選んで一任するのである。例

えば会社で有権者である株主が、有能者である支配人に仕事を任せるのと同じである。（中略）新国家は国家の政治の大権を二つに分け、其中の政権は之れを完全に人民の手に帰し、人民をして此の完全なる政権を用いて直接国事を管理させる。此の政権が民権である。もう一つの治権は完全に之を政府の機関の中に収め、政府をして絶大の力を振《ふる》って全国の事務を治理させる。此の治権が政府権である。

長野朗『支那は動く・支那を見よ』

この記述から、長野が三民主義における民権主義とは、政治権力を「人民」に帰属させ、同時に人民が行政権を「その行使は之を有能なものを選んで一任」し、政府は人民の意志を強力な権力をもって実践することだと読み取っていることがわかる。しかし、これだけを読めば、主権が国民に属し、選挙によって国会議員を選び、議会と内閣に政治運営を任せるという、従来の民主主義体制と何ら変わらないように読めるだろう。だが、長野はさらに次のように付け加える。

「民権から云えば世界で新しい方式は選挙権である。」しかし、それだけでは充分ではないとして、「故《ゆえ》に第二の罷免《ひめん》権を加え（中略）之れに依《よっ》て官吏《かんり》を管理すれば任命罷免共に人民の自在である。」とする。

さらに長野は、民衆がある法律を望めば、それを自ら制定して政府に執行させる「創制権」と、逆に民衆がある法律を不利と思えば、その法律を廃止させる「複決権」を挙げた。そして、この四権によって民衆が政府を管理する「直接民権」を三民主義は目指すとし、欧米よりもさらに先進的な民権主義がこれによって実現すると述べた。

ただし、孫文は、これらの権利を民衆が直接行為しうる範囲は、地方の県政レベルまでとしている。これは当然なことで、国家の防衛や外交、国家全体の経済政策などの政策や律法に至るまで、民衆が直接立法権や担当部署への罷免権を持つようなことは現実的に不可能であろう。

そして、政府は欧米における三権分立、つまり行政権、立法権、司法権の他に、考試権（人民の能力を試験する権利）、監察権（法には触れずとも、官僚として問題のある行為を摘発する弾劾権）などの「五権」を有し、人民の要求を強力な権力下で実行することになる。

孫文はこの理念を、議会制民主主義と三権分立という当時の欧米先進諸国よりも一歩進んだ制度として唱え、長野もこれを高く評価している。だが、これは欧米の民主主義制度に、無理やり新たな「権利」を付け加えただけのものであり、少なくとも政治理論としては思いつきの域を出てはいない。

まず、三権分立に付与した「考試権」「監察権」は、前者は中国の伝統的な科挙制度の名残《なごり》であり、後者も、仮に実行されれば法治国家の原則を越えかねないものである（実際の中華民国でも、この二つの省庁は置かれたが、名誉職的なものにとどまったと、宮崎市定は指摘している）。より重要なのは、たとえ県政レベルとしても、民衆が罷免権や立法権まで持つという、極端な直接民主主義的理念の方である。当時の中国民衆の教育水準や国家意識のレベルから見ても、このことは非現実的であり、それ以上に現在の言葉を借りれば、極端なポピュリズムに陥りかねない。いや、もっと言ってしまえば、この発想を極限まで推し進めたのが、後の毛沢東による文化大革命だったとも言える。

毛沢東は共産党内の権力闘争に勝つために、より具体的には、劉少奇ら経済改革を求める勢力を「走資派」（毛沢東主義を否定し資本主義に中国を導く分子）と決めつけ、彼らを「革命の敵、人民の敵」として「民衆」の代表たる紅衛兵に暴力的に攻撃させた。「造反有理」という、あらゆる民衆の既成の権威・権力への抵抗は（毛沢東に対する批判以外は）無原則に正しい、という過激なスローガンが中国全土を支配し、知識人たちは「人民に学べ」という糾弾にさらされた。

毛沢東

もちろん、文革の悲劇に孫文や長野が責任を持つわけではない。しかし、安易な直接民主主義の導入が「人民を代表とする専制者の政府」や「先導された世論によるポピュリズムの暴力支配」を生み出しかねない危険性については、私たちは自覚的でなければならないだろう。

ただ、孫文が民権主義に込めた思いには、近代国家建設の過程で、官僚支配や特権層の支配が、民衆の自治を侵害することへの危機感があったのかもしれない。孫文という人の思想は、独立した政治思想としては普遍的な価値は全くない。この三民主義が他のアジア諸国の政治運動に影響を与えたこともほとんどないだろう。しかし、当時の中国の歴史と風土の中に置いてみれば、西欧の近代的政治思想を乗り越え、かつ、中国民衆の中にある伝統的な官僚機構や支配体制への批判的意識を何らかの形で政治体制に組み込もうとした民族政治家の実践として一定の歴史的価値を持つかもしれない。そして長野もまた、三民主義の中に、官僚支配に抗するために、民衆の側に、最低限、地域行政における悪《あ》しき官僚・政治家への罷免権を与えておきたいという、強い政治的信念を感じ、深く共感したのではないだろうか。

中国の実情に対して深い理解を持っていた長野は、まず、地方自治の地点から民衆の政治参加を実現しなければ、民主主義など不可能であるということを自覚していた。制度的に民主主義を導入するだけでは、結局、清朝時代からの官吏や有力者が再び選出されて、その支配が続くだけである。

この（官僚）階級が根本的に除かれ、真に人民が経済上政治上にも平等の位置に置かれ、地方自治から基礎を固めて真の民主主義が行われる。

長野朗『支那革命史』

長野は、当時の現状では、民衆のほとんどが文盲で、政治教育の普及も困難なことを認めており、だからこそ、上からの民主主義ではなく、地方農村の自治確立に重きを置いたのだった。そして、旧来の官吏の追放を実現し、新たな国家官僚による、上からの統制への防波堤として、人民の罷免権や立法権にこだわろうとしたのである。

長野が後年、日本において、いわゆる昭和維新運動、農村救済運動に参加することからもわかるように、彼は近代国家システムと官僚体制、そして資本主義システムが、民衆の自治共同体に干渉することに対する激しい反発心を持っていた。近代化や民主化の必要を認めつつも、それが旧来の民衆自治のシステムを破壊しかねない場合には、その制度を民衆は拒否する権利を持つべきだという長野の意識が、孫文の民権主義に過大な評価を与えたと見るべきだろう。

そして長野は、この民権主義においても、理想が裏切られていくのを実感する。結局、孫文の理想はそれ以後、孫文自身が作り上げたはずの国民党自身によって裏切られたのだと長野は指摘する。

> 孫文一派が国民党の主体となるに及び、孫文の三民主義や五権憲法により民主制の政治組織が明瞭となったが、次で三転して国民党が一党主義と党治を主張するに至り初めと全く異《ことな》ったものになった。即《すなわ》ち人民は直接政治に参与せず、国民党が人民の政権を代表するものである。〔同前〕

西谷紀子による論文「長野朗の中国革命観と社会認識」によれば、長野は孫文の、まず各地の自治が完成した後に、はじめて国民大会を開いて憲法が決定し、その後に選挙が行われるという政治プログラムを信じ、これを正しい方向性として支持していた。しかし、現実に実現した中華民国は、民衆の自治確立とも、民主的選挙とも無縁の、蔣介石による中央集権体制の確立であり、国民党の一党独裁政治に他ならなかったのである。

長野朗と「三民主義」（三）――民生主義と共産主義の違い

三民主義の最後に挙げられた「民生主義」について、長野は、何よりも政治の責務とは「国民の生活問題」に取り組むことであり「孫文は民生主義において、生活問題を根本に置き、歴史の重心は生存問題」と位置付けていると指摘した。そして同様に、民衆の生活、生存の問題

蒋介石

に取り組んでいるとする中国共産党、つまり共産主義と、孫文思想との相違点を強調した。長野によれば、三民主義は共産主義と異なり、私有財産や企業活動を認めた上で、格差や階級問題を解決するところにあった。

「民生主義の実行としては二つの方法を挙げて居る」。一つは「地権の平均」であり、もう一つは「資本の節制」である。

地権の平均という言葉はわかりにくいが、要約すれば、地価高騰によって生じる利益を不労所得として独占している大地主や富裕層に対し、その正確な地価や利益を申告させた上で、地価高騰は所有者の努力ではなく、社会情勢によって生ずるものであるから、それによって得る利益に対しては税をかけて徴収する、というものだ。もしも土地所有者が偽って利益を過少に報告した場合は、その土地を申告した価格によって買い上げる。この政策によって、地主の不労所得をできるだけ防止する。これが「地権の平均」である。

孫文は、そしてこの説を紹介する長野も、現在土地を所有するものは、その土地を奪われることはなく、将来的に民生主義が発展・完成した場合には、すべての農民が自ら耕す土地を得られるとした。しかし、この論理にも大いに飛躍があり、仮に大地主や土地投資家の利益を税収で社会に還元したところで（それができるかどうかも疑問だが）土地の再分配につながるとも思えない。この発想も、土地を私有しているだけで不当に利益を得ている特権地主に対する民衆の反感を、制度的な罰則として実現しつつ、共産主義国で行われるような土地私有の禁止や共有制とは違う解決策を目指したものだろうが、あまり現実的な政策とは言えまい。

もう一つ「資本の節制」は、国家資本の発達と個人資本の発達の両方を実現しようとするものだが、まず、基本認識として、当時の中国はほとんどの国民が貧しく、いわゆるマルクス主義的な階級格差は存在しないことがまず前提とされる。その上で、ある種の産業国営化の下で、ある種の公共事業中心の発展を「民生主義」は目指すことになる。

> 個人資本を制限しないだけでなく、更に国家資本を発達させなければならぬ。実業振興の主なる方法としては鉄道運河等の交通事業、鉱山の開発、工業の振興である。之れを私人又は外国商人の経営に任せて置いたならば、将来の結果は徒《いたず》らに個人資本を発達させ、富豪階級を生み出すから、之れを国営としなければならぬ
>
> 長野朗『支那は動く・支那を見よ』

長野はこの政策を、産業の育成・発展を育成しつつ、国家で大規模産業を管理することで、極端な独占資本家の出現や、富の格差、極端な階級分裂を防止することに目的があり、それは

決して階級闘争を目指すものでも、個人の企業活動を阻害するものでもないと、共産主義との相違点を強調している。長野は孫文の言葉を借りて次のように述べる。

〔孫文の言う〕三民主義の意味は民有、民治、民享にある。即ち国家は人民の共有であり、政治は人民の共管であり、利益は人民が共に享《う》けると孔子の所謂《いわゆる》大同世界が出現する。〔中略〕三民主義が共産主義と異る所は、共産主義の階級争闘、無産専制に対し、三民主義は階級争闘を避け各階級の利益を代表する。又唯物史観にも反対し、支那の旧道徳を復活せんとする等、根本的に異って居る。〔同前〕

長野はあくまで孫文の三民主義の中に、欧米直輸入の民主主義でも近代資本主義でも、また共産主義でもなく、「孔子の大同主義」という言葉に象徴されるような、あらゆる対立が調和に向かうような、ある種の東洋的ユートピアを見いだそうとしていた。

これは、孫文という人物の魅力、少なくとも中国革命に命を捧げた運動家たちが孫文に見いだしていた夢を、よく長野が理解していたことを表している。大言壮語で革命の理想を語りつつ、準備不足としか思えない突発的な武装蜂起を繰り返しては失敗していた、現実の政治革命家としては失敗者でしかなかった孫文が、なぜ指導者としての権威を保ち続けたかといえば、彼が中国人の心情的ユートピアを政治理念に反映させ、美しく描き出すことができたからなのだ。だが、そのような人間的魅力や、ユートピア幻想を廃して、ここで説かれる民生主義をあくまで純粋な政治理論として読めば、穴だらけで非現実的なものとしか言いようがない。

確かに中華民国のみならず、二〇世紀における様々な植民地支配からの独立国の中で、国内産業の国営化による育成と発展、他国の経済支配からの脱却、民族独立と経済的自立などのスローガンのもとに、民族主義と共産主義を一致させようとした国々は多く存在した。それこそ中国共産党の建国した中華人民共和国をはじめ、ベトナム、キューバ、カンボジア、アフリカ諸国などに、いくつも生まれた。

孫文も長野も、民生主義と共産主義との違いを強調するが、基本的にアジア・アフリカの新興独立国が旧支配体制から脱した際に行おうとしたのは、主要産業の国営化、外国資本の排除など、ここで民生主義が方針としていることと変わらない。しかし、その結果起こったのは、一党独裁の固定化（そうしなければ経済統制などは不可能である）と、官僚制度の肥大化、特権階層の出現と経済的堕落、その結果としての国内経済の疲弊であった。

孫文がここで言う民生主義は、そのまま実現されれば、限りなく共産党独裁下の統制経済に接近したはずである。そして、長野はその構図をも、次のように確かに予言していたのだ。次の文章は、長野が中国共産党を評価しつつその問題点を鋭く指摘したものである。

まず長野は、従来の農村改革が支配階層内部にとどまり、民衆レベルや、特に社会の下層階級にはほとんど無縁のものだったことを指摘し、そこに手を付け、根本的な革命を目指した共産党の姿勢は認めている。しかし、その革命の主体となったのは「真面目な生産階級よりも最下層の純無産階級」であった。本来農村改革は、官僚地主らを排除すると共に、土地の再分配によりすべての農民を平等の位置に置き、その上で、自立した農民の自治自衛共同体を作り上げなければならないはずなのに、共産党のやり方では、従来の土豪による支配に変わって「浮浪人の暴民政治」が行われるだけであった。

その結果、共産党支配下では、農村の現状を無視した「改革」「革命」が行われ、貧困層や浮浪層が共産党の主導下、豊かな農民の土地財産を「階級闘争」の名の下に強奪するような事態が起きた。観念的な共産党知識人たちは、農村の実情を無視した強引な土地の共有化や、家族制度や農村共同体を「反動的価値観」として全否定し破壊しようとした。これによって、当初は共産党を解放者、改革者と考えていた農民たちは失望し、この暴虐な「共産党匪」たちを、本物の土匪や山賊と組んで追放しようとする動きさえ見せたことを、長野は『支那革命史』で指摘している。

これは鋭い共産党批判だが、問題なのは、国民党はこの時点ですでに国共合作を行っており、共産党のこのような暴政に対し、当然責任を共有していたことである。また、国民党の中央集権と独裁体質を見れば、農村の自治などにほとんど関心も持たなかったことは明らかであり、民衆の生活保護と産業の向上、独占資本主義反対といった民生主義の理想は、歪んだ形であれ共産党によって実現されつつあったのである。

以上のように、孫文の三民主義とは、政治思想それ自体としては矛盾も多く、問題だらけのものである。しかし、そこに込められた理想の中には、確かに当時の中国の問題点を見抜く視点も、また、中国独自の道を見いだそうとする姿勢もあった。その理想に対し、長野は少なくとも一九二〇年代初期においては深く共感し、やがて現実に裏切られていくのである。

中国革命への夢と挫折、ここに長野の原点があった。軍を離れ、中国専門家として多数の論考を発表していく長野は、それでも中国に対する真摯な関心を持ち続ける。

多くのアジア主義者たちが、革命への夢と挫折の中で苦悩し、また支那通軍人たちが、日本軍人という立場と、彼らの革命への想いのはざまで葛藤していたのに対し、長野は軍を離れ、冷静なジャーナリストとして、時にはある種の文化研究者として、中国民衆とその世界観の本質を探る道を選んだ。

彼の主要著作はそのような冷静な精神に貫かれ、時にはルポルタージュとして、また時には中国文化論として、また時には国際政治学者のような視点から、書かれていくことになる。

第二章　漢民族とは何か

『支那の真相』を読む

『支那の真相』（底本は千倉書房発行、現在は呉ＰＡＳＳ出版より復刊）は、一九三〇（昭和五）年に発行された、長野朗の「支那文化論・民族論」の集大成と言える著作だ。政治、外交、経済、社会の各編に分かれて、それぞれの面から漢民族の特性を指摘しているのだが、いずれも長野自身が現場で民衆と接し、その体験談をもとに書かれている。とにかく、長野の著作の中でも最も面白く、その露骨な表現を受け入れるならば、卓越した比較文化論として読むこともできる書物である。例えば、次のような文章「心中《しんじゅう》と酔払いのない国」などは、その典型だ。

> 日本には近松の心中物を待たずとも、毎日の新聞を見ても心中記事のないことは少《すくな》い位《くらい》だが、支那人には心中が無い。支那人は心中しなければならない立場になれば別れてしまう。現代モダン嬢のように、算盤《そろばん》を弾いて恋をするのであるから、命を捨てることは算盤を取ってはどうしても損になる。元来が享楽のための問題だ。それに命を投げ出すことは考え得られない。

長野朗『支那の真相』

私は中国文学に詳しくはないけれども、確かに「心中」がテーマのものは思いつかない。自殺を本来禁じているキリスト教社会であるヨーロッパでも、その戒律が厳しかったはずの中世説話においてすら「トリスタンとイゾルデ」や「ロミオとジュリエット」など、ある種の「恋愛心中」ものが存在するというのに、中国文学の中にも、また実社会でも、そのような傾向がないというのは、意外と指摘されない視点だと思う。

これは、中国社会において、女性が徹底的に「家」に属していたこと、少なくともそのような価値観に基づいて暮らすことを強《し》いられていたことによるものだろう。さらに言えば、江戸時代に描かれた近松の劇作、特に心中ものは、廓《くるわ》という非日常的な空間を舞台に、武士道や家の論理、もしくは商人階級の合理主義などの、それぞれの階級における「公」の論理を超越した個々人男女の恋愛を貫く姿を描くことで、公よりも個人の意思を上に置く、ある種の「江戸近代精神」の世界ともいえる作品である。中国でも、実際には心中に近い死を選んだ男女はいたはずだが、列女や貞女、もしくは徹底したエゴを貫く悪女の物語はあっても、心中が文学化されにくかったということの意味は、考えてみるべきかと思う。

支那の真相

そして、長野は続いて中国における女性の地位の低さ、男尊女卑という言葉すら甘く感じられるような、女性を道具のように扱う傾向を指摘していく。ここでの記述は生々しいものがある。特に「支那では子供の売買は各地で行われ」「売られた女は婢、即ち女中として使わ」れるという、まさに奴隷制度に近い現状が語られている。「支那には何処《どこ》に行っても焼餅《シャオピン》と暗娼《アンチャン》の無い所はない」という言葉も象徴的であるが、「公娼」よりも、「暗娼」こと私娼が発達した理由について、長野は次のように述べている。

> 支那では男女間の関係が非常に喧《やかま》しくて、男女七歳にして席を同じうせずと云うようなことが今日でも行われて居り（中略）若い男と女とは話しが出来ない。（中略）
> こうした習慣があるために、支那の若者は私娼に走る外《ほか》はない。
> 支那人は再嫁を非常に嫌うから寡婦は子女を抱いて家を立てて行かねばならぬ。寡婦が独立生活することは容易でなく、ここに彼女等を売春行為に導かしむることになる。（同前）

これは、いまだに儒教の悪影響が社会を縛っていた時代の悲劇であり、制度化した道徳がいかに偽善と退廃を生みだすかを、長野は率直に記録している。このような文化論、文明論的視点が長野の文章に見られることは、もっと注目されていい点ではないだろうか。

ここでは、まず本書の序文を見た上で、本書をいくつかの論点に従って読み解いていきたい。

漢民族の圧倒的なパワー

まず、私たちは本書の序文で驚かされ、全文を読み終わったのちに序文を再読した時には、ある種、奇異の念すら覚えるだろう。本書は、いや長野の著書の多くに当てはまることなのだが、中国の現状、漢民族の問題点を暴きたてながら、最終結論は、その未来は洋々たるものだというイメージを抱かせるように書かれているのだ。

> 支那時代来《きた》る！
> それは決して誇言ではない。世界の重点は大西洋から太平洋に移り、太平洋問題の重点は支那にあるのだ。今や全世界の視線は支那に注がれ、其一挙一動に甚大な注意を払って居る。
>
> 長野朗『支那の真相』（自序）

本書が書かれた一九三〇年は、満洲事変の一年前のことである。一九二七年には日本軍の山東出兵が行われ、同年、上海においては蒋介石率いる国民党が、それまでの国共合作を廃して共産党への大弾圧を行い、さらに北伐によって軍閥勢力を一掃させようと図っていた。一九二八年には張作霖爆殺事件が起きている。このような情勢下、おそらく一般的には、中国は混迷の中にあると見る論者が多かったはずだ。しかし長野は次のように続ける。

> 四千年の歴史と四億の大衆と無尽蔵の富源を擁して居る支那の動きは、全世界に大なる波動を与えずには置かない。政治的に支那の革命が如何《いか》なる方向を取るか、又経済的に支那に大資本主義国が出現するか否《いな》かは、世界の将来の運命を支配するものであり、又現在四億の大衆が八億にも発展するならば、世界人類史の一大革命である。殊に隣国である日本は其最も大なる波動を受くるに拘《かかわ》らず、従来吾人《ごじん》は余りに支那に無関心であった。もっとも重大な関係ある支那を疎外して欧米に親しみ過ぎた。（中略）
>
> 支那を軽視——或《あるい》は之れを対岸の火災視するのは徳川鎖国時代の思想だ。現代人に取っては支那を知ることは常識であり義務でもあるのだ。支那は謎の国でもなく不可解の国でもない。恰《あたか》も海の潮の如く、表面波瀾重畳《はらんちょうじょう》するも、大勢は力強く確実に退転なく一定の方向に進んで居る。表面の千変万化を見て眩惑さるる勿《なか》れ、退転なき大潮の動きは四千年来一定の歩みを続けている。
>
> 国民革命や共産革命は支那の大きな動きの前には一波浪だ。この大きな流れを伝えるた

めに本書を書いた。〔同前〕

長野は、中国を表層の政治闘争、権力者の思想や動向、経済的側面などで判断することを強く戒めている。長野は、孫文と三民主義を過大評価したことへの反省に立ち、中国の本質を漢民族の民族性、具体的に言えば、ありのままの民衆意識からとらえ直そうとした。当時の満洲など中国北部における軍閥の内戦、南方における中華民国政府の混迷と各党派の合従連衡が続く中、長野は、個々の情勢論で中国問題を語ることの不毛さをよく感じ取っていたのだ。その結果、長野は、次のような結論に至った。

日中戦争、あるいはそれに続く大東亜戦争の勝敗といった次元を超え、漢民族の民族的パワーを軽視してはならない。そして、表層の政治情勢を超えて、漢民族は今後アジアや世界を動かす巨大な勢力となる。そうである以上、あらゆる思い込みを捨てて、この民族の本質を知らなければならない。このモチーフが、長野に『支那の真相』を書かせたのである。

堕落と腐敗の同化力

まず長野は、中国における「世論」なるものの無根拠さから論じていく。

孫文によって国民党党旗として認定された青天白日旗が、革命の全盛期や、また蒋介石の北伐時には全土で掲げられた。外国人はこれを見て、世論が国民党支持一色に染まったかのように誤解していたようだが、もともと「支那人等は平常から五種くらいの旗は用意している」のであり「清朝の黄龍旗、民国の五色旗、国民革命の青天白日旗、それに日英米の旗」で、その時の優勢な勢力の旗を出していたに過ぎないとする。

国民革命が起れば昨日までの軍閥共が、我れも我れもと青天白日旗をかかげ三民主義の念仏を唱えて居るが、颱風《たいふう》一過した跡は依然たる軍閥の勢力争いが再演される。

長野朗『支那の真相』

長野のこの言葉は、前章で触れたように、辛亥革命の挫折感に裏打ちされたものだが、中国の民衆が政治イデオロギーや権力から常に遠いところに生きていることも示唆している。長野はさらに、中華民国における初期の政治運動が、社会に不満を持つ学生主導だったことも、冷静に次のように分析している。

（中華）民国になってから、新しい大学や専門学校が幾らも出来たが、其多くは設備の

> 単簡《たんかん》な政治法律の学校であった。所が卒業して見ても産業の発達して居ない支那では実業界方面には就職口はなく、官吏になるには情実纏綿《てんめん》して中々望みがない所から、学生の気分が著しく変って大正八年頃から排日をやったり労働運動に手を着けたりして居た所に、恰もよし国民革命が起ったので、争うて国民党や共産党に加入した訳である。〔同前〕

ここでの「国民革命」とは、一九二一年、孫文が広東で中華民国大総統に就任し、また中国共産党が結成された時期を指す（もちろん「排日」とは五・四運動のことである）。この時期に、学生という新しい「知識階層」が、経済的にも政治的にも強い閉塞感を持っていたことは疑いがない。長野の分析はそのあたりを的確に見抜いているが、同時に、彼らが「国民党に加入すれば何かの委員になりパンに有り付ける」から入党したのだというのも、現場でその実態を見たからこそだろう。

排日運動であれ労働運動であれ、それが結局ある種の「運動利権」になっていくことを長野は指摘する。デモ行進に参加すれば一日五〇銭、演説が一回上等一円（ヘタだと五〇銭）、女学生はより宣伝効果があるというので原則一円が支払われ、しかも金の分配をめぐって指導者間で争いが起きた、などという記述は、話半分としても、いつの時代でも（ついでに余計なことを言えばどの国でも）「運動」というものは堕落しがちなものだなと思わずにはいられない。

商人たちの中にも「職業排日家」が現われ、日貨排斥と同時に自分の製造した粗製乱造品を「国貨」として売り込む。そのうちに、「排日に衣食するもの全国に数万」「救国基金なるものを日本品に課税してそれを生活の資」にあてるようになった。「革命にしても排日でも、間には真面目なのも居るが、大勢が之では仕方がない。それに悪の方の同化力が強いから大勢順応で如何ともし難い」という言葉も、革命運動の理想に一時は深く共感し、そして挫折した体験こそが書かせたものだろう。

第一章で長野が共感した民生主義に対しても、既にその非現実性を長野は次のように指摘している。

> 何んでも商売化する支那の国民性は、官業をメチャメチャにする。租税でも人民から取立てて中央政府に行くまでに大部分は消えて失《な》くなり、塩の専売が、生産費百斤五十銭、租税二円七八十銭を加え四円位で売れるのが、湖南あたりでは二三十円になり、酷い時には百円にもなった。（中略）それで国民党が云うような、民生主義に基《もとづ》く主要産業の官営でもやろうものなら、下らぬ産業管理委員会を幾らでも造って、散々に甘い汁を搾り上げ、産業は無茶苦茶にし、最も弊害の多い官僚資本主義が出来上るだろう。〔同前〕

実際、中国に限らず、「官製資本主義」の堕落と特権層の出現と腐敗は、「革命」を成し遂げた国でこそ起きがちな社会問題である。そして長野は「強い同化力」という言葉で、革命家も官僚も、また政治家も、なぜ堕落していくのか、利権化していくのかを説明している。

長い間外国で教育を受けて支那に帰った連中は、かかる習慣を非常に嫌うが、同化しなければ何時までも下積になって出世しないし、其地位までも危うくなる（中略）革命の志士が一度政権の渦中に飛び込むと、そこには数千年来伝統的な官僚階級が居て忽《たちま》ち同化作用を行う。

国民党でも共産党でも之の同化作用を受けて忽ち堕落する。〔同前〕

さらに長野は次のように断言する。

こうした国民性であるから、支那には二つの全く隔離した型の人物が居る。一つは悪に同化された下等の集団で、一つは同化されず世間から超然として高踏した隠士であって、中間的のものはあり得ない。伯夷、叔斉や竹林の七賢見たようなのが堕落した官僚階級に対照して存在して居るのが支那である。〔同前〕

ある社会を改革しようとする運動の中に、その社会の最悪の構造が持ち込まれることは、歴史上しばしば起きたことである。特に急進的な革命運動においてこそ、逆に旧秩序の悪しき面が、さらに歪曲した形で無意識に導入される。ロシアの共産主義運動では、帝政期の専制主義体制が、そのまま共産党首脳部への忠誠に、さらに激しい形で持ち込まれ、最終的にはスターリンの独裁体制が誕生した。同様に、中国における革命運動も、長野の言う「同化作用」、つまり始皇帝時代から始まる、皇帝（権力者、指導者）とその周囲の特権層という構図に落ち込んでしまうのだ。

この構図を批判する近代的な知識層も、もちろん存在する。そのような人々を、長野は「長い間外国で教育を受け」た人物と呼ぶが、これは要するに近代的な政治意識や民主制度を学び、それを中国に導入しようとする知識層のことである（おそらく長野は、孫文もその一人として捉えていた）。現在もこれと同じ構図があり、海外に長く亡命した中国民主運動家、また、海外留学経験者などに、中国共産党支配の現状に対する深い問題意識を持っている人たちが、確かに存在する。だが肝心なのは、彼らが必ずしも中国民衆から支持されているとは限らないということだ。近代的知識人と民衆との乖離と

スターリン

いう問題は、中国では今もなお深刻なのである。

同時に、当時、外国由来の最も先進的、革命的な思想と言われた共産主義について、長野はこの思想が中国民衆に受け入れられることは絶対にないと確信していた。

> 支那が共産党の天下になることはあるかも知れないが、然し共産主義を実行することは出来そうにもない。恐らく支那人は世界中で最も共産主義に不適宜な国民だろう。〔同前〕

その理由は、中国人の家族制度では、一家の収入はすべて家長が所有し、同時に一家全体を養う責務を持つ。しかしその結果、逆に、他の家族は働いても自分の収入にはならないと考えてしまい、労働意欲を失ってしまうことがしばしばある。また、家族で一人、出世するものがいれば、親族はそろってその人間に寄食する。おかげで、権力者や企業経営者は、必然的に、血縁者を重要なポストにあてがうことになる。

長野は、中国人の強烈な実利へのこだわり、私有財産への執着、そしてこのような家父長制度と親族関係を重んずる精神が、共産主義のような階級闘争論や、労働のもとでの平等論、財産の社会共有などの原理を受け入れられるはずがないと考えた。

もちろん、結果から見れば長野の予言は外れた。共産主義は中国において、きわめてゆがんだ形ではあれ受け止められ、現在もなお、支配思想として君臨している。その理由については本書の最終章で再度論ずるが、ここで長野が指摘している中国の家族関係、家族制度を打ち壊すことは、毛沢東の大きな目的の一つだった。毛沢東は、先にも述べたように、彼の考える共産主義革命の実現のために「造反有理」（反逆は常に正しい）というスローガンのもと、文化大革命によってこの家族制度をも破壊しようとしたのだ。

少年少女が、時には自分の両親をも「反革命的」と罵倒し、暴力をふるう場面が中国のいたるところで見られた。同時に、それは、中国における唯一の「家長」として毛沢東が君臨することであった。「強烈な同化力」による毛沢東個人崇拝の全国的拡大こそが、文化大革命と紅衛兵運動の本質だったのである。

今も変わらぬ「対中政策の失敗」

本書で長野は、いくつもの章で露骨なまでに中国人精神の問題点を指摘している。しかしよく読んでみると、それはほとんど、日本や欧米諸国の中国への無理解と、誤った対中外交への批判と一体の言説であって、その多くは現在にも当てはまるものとなっている。

「虚偽と信」と題された章には次のように書かれている。

支那人の有《も》つ最も悪い性格の一つは平気で虚言を云うことである。虚言は圧制の結果であって強力に関する弱者の武器である。〔同前〕

専制権力の支配に対し、様々な虚言で自らを守ってきた歴史によって、虚言そのものが習慣化していく。

自分で嘘を云うから相手も嘘を云うものと決めて居るから中々人を信じない。（中略）人を信じないため比較的に信用の出来る血縁のものや同郷人で周囲を堅めようとする。政治界にも実業界にも血縁相引くことが流行するのは其ためである。〔同前〕

そして、だからこそ次のような精神的逆転現象が起きる。

こうして嘘を云う国民だけに、嘘を云わない「信」を守る人を非常に尊敬し、信を尊ぶのである。支那人は滅多に人を信用しない代わりに、一度信用すれば何でも任せる。（中略）こうしたことは日本人には出来得ない芸当である。日本人は人を軽く信ずるが、又支那人

見たように思い切って信用も出来ず、充分人に任せ切らないでお節介をするから仕事は中々巧《うま》く行かぬ。〔同前〕

長野からすれば、中国人が信用する日本人とは、中国人に変に気を遣ったり、また彼らの発言を疑うあまり、自分も同じような駆け引きをしようとする中途半端な「中国通」ではない。むしろ、堂々と正論を述べる日本人である。

日本人の性格に従て、掛引なしに短刀直入一直線に突込んで行けば、却《かえっ》て相手が面喰って交渉は巧く行く。この日本式の行き方をやらず、下手《へた》な策謀を廻らすから従来の対支外交は全て失敗に終《おわ》って居る。〔同前〕

しかし、しばしば「中国通」「中国専門家」は、民間人も外交官も、当時は様々な軍閥間の抗争、現在は共産党内部の権力抗争にまつわる様々な情報にとらわれ、かえって判断を誤る傾向がある。様々な権力内部の対立の模様は、ある程度外部に漏れるのだが、そのどこまでが真実なのか、たとえ真実であってもどこまで対中外交の本質であるのかを理解せず、情報に振り回されてはならない。

> （権謀術策と複雑な国民性から）支那の時局は複雑混沌として日本人には中々分らないし、又実際極めて微妙に動いて行く。（中略）こうした複雑な性格は何処から出て来たかと云うに、国民性が虚偽であり多面的であるために、其結果自然複雑になり、単簡では世の中が渡れないから、自活上そうせざるを得ない（中略）
>
> 事実支那の時局を見て居ると、楽屋裏では策士連が年中必死になって種々の策謀を廻らし（中略）其大部は表面に現われずに終り（中略）消息が皆反対矛盾して、どれが真実か分らなくなる。（中略）報道の任に当るものはそこを能《よ》く判断しなければならぬ。〔同前〕

こうした長野の言葉は、彼自身が国民党と軍閥の抗争、さらに国民党内、軍閥間のあらゆる対立と離合集散をつぶさに観察してきたからこそ言えた言葉だ。情報（その中には真偽定かならぬものも多数含まれる）に踊らされて本質を見失う対中国言説は、今も後を絶たない。長野は多くの軍閥指導者にも国民党にも直接接し、彼らの離合集散や複雑な人間関係をよく知った上で、逆に「下手な策謀」や情報に踊らされるべきではなく、日本が日本側の国益と主張を明確に打ち出すことでしか外交関係は築けないと主張したのだ。

特に長野の主張で重要なのは、外交面における原則論を具体的に述べた、次のような文章である。

まず長野は、中国人の車夫は一里で一〇銭と大変安いので、日本人が気の毒だと思って二〇銭を渡すと、感謝するよりも「もう少し催促したらもっとくれるだろう」と解釈して、どこまでも要求するようになる、という実例を紹介している。他にも、同情した外国人が様々なトラブルに見舞われ、中には、乞食《こじき》に気軽にお金を恵んだために逆によほどの富豪と思われて殺害されてしまったという悲喜劇を紹介し、「支那人は金に非常な執着を示す」と結論付けている。このことはもちろん長野の実体験に基づいているのだが、ここでも、長野が言いたかったことは、これに続く日本外交の問題点である。

第一次世界大戦に参戦した日本軍はドイツ植民地を占拠、さらに対華二十一箇条条約において、袁世凱政権に日本の権益を承認させ、一九一七年には石井・ランシング協定によって山東省の権益をアメリカにも承認させた。その後一九二二年、ワシントンで行われた九カ国条約にて、日本は山東省の権益を中国に返還する。長野はこの外交過程を、日本側の無原則さの表れとし、妥協によって友好が保たれるという甘い姿勢が問題だと批判している。

「山東問題が喧しかった時に、山東問題を中心に大正八年以来排日が支那全国に起り、九年にも再発して慢性的と」なった。日本側は、この問題すら解決すれば外交問題は解決すると考え、山東地方を中国に返還した。

所が支那人の方では、我々が一寸《ちょっと》騒いだから山東を返した。今度はもっと騒いだら旅順大連も返すだろうと云うので又騒ぎ出した。支那人は日本人が予期した感謝の代りに、日本に対して軽侮の念を生じたのだ。〔同前〕

単に山東省の返還が間違っているのではなく、外圧で方針を変える日本外交の問題点だと指摘した上で、さらに長野は次のように述べる。

支那に対して御機嫌取り政策を取ることは、徒らに支那の軽侮を招き、日支関係を悪化するものである。又大体堂々たる国家が他国の御機嫌を取ると云うことが間違いで、かくの如きは娼婦の道である。

日本は正義に従て動くべきもので、山東を返すのが正義と思うたら返すべきだし、不平等条約の撤廃が正しいと思えばやるべきで、これで支那の機嫌を取ろう等と考えるのは根本から誤って居る。〔同前〕

これは「支那」という言葉を、「アメリカ」ほか、あらゆる国に換えても真理であり、現在の日本外交においても本来、貫かれねばならない姿勢のはずであろう。

今も変わらぬ「中国経済への幻想」

長野は日中の経済関係においても鋭い指摘を行っている。それは、巨大な人口と安価な労働力に対し、欧米も日本も幻想を抱きすぎるという、まことに単純だが現在も通用する問題点である。

日本は支那の市場が非常に大切だと云うことを知って居るから、何か事があると日貨排斥で脅し付けて自己の立場を有利に導こうとする。〔同前〕

支那には多くの資源と四億人の購買力があるので、これにヤニ下った日英米等の助平共が、各々支那を手に入れようとして、或る者は着物を、或者は帯を、或者は指輪を送って御機嫌を取って居るが、対手は無邪気な処女に化けた妖女だから巧く贈物だけ取って中々靡《なび》かない。こちらに惚れた弱味があっては駄目だ。〔同前〕

又支那に工場を進出させるについても、余程《よほど》考えなければならぬ。下手に資本だけ持って支那に工場を設け、支那人の安い労働力を雇入れて経営すれば、支那人を養って行くだけで、日本は資本家が若干の利潤を得るだけだし、然も一方では国内にある同一工業を圧迫して日本人職工の生活を不安ならしめ、日本人工場で技術を覚えた職工を使って支那側でどしどし競争工場を造り、日本の商品は行かなくなる。〔同前〕

長野の指摘は、現在の日本企業と中国の関係にそのままあてはまる。しかし、長野は中国との経済交流に反対だったわけではない。それどころか、漢民族の経済観念、もっと言えば、商売への情熱には、脅威と共に敬意すら感じていたのである。

その徹底した合理性を、長野はいくつもの実例を挙げて紹介している。喫茶店でお茶を飲みながら話そうという時、茶葉を持ち込み湯だけを頼んで安くあげる、などという例は、おそらく他の日本人であれば、さして気にも留めないか、もしくはケチ臭いエピソードとしか思わないだろうが、長野は「支那は日本よりこうした点は余程好く出来て居る」と感心する。また、宿に泊まる時も夜具代金は別であるとか、食事も饅頭を何個食べたかでいちいち計算するといったやり方など、普通の旅行者ならば煩雑で嫌気がさすことを、長野はここでも漢民族の合理性に注目し、この精神はむしろ今後、世界における経済活動発展の基礎となると見なした。

> 支那人の経済心が発達して居るために、支那人の小売商は世界到る所に発展して居る。彼等《かれら》は（中略）同じ日本輸入品を売るにしても、日本人の店より二割も三割も安いから、支那人だけではなく同じ日本人でも支那人の店から物を買うようになる。〔同前〕

これなどは正当な価格競争のレベルを超えており、本来、商売道徳上やってはならないことなのだが、不安定で秩序維持も困難な当時の社会で、かつ、日本人よりはるかに生活水準の低い中国人を主たる相手とする商売においては、当然起こりうることだった。

また、商売の現場における中国人のサービスの良さ、そして気長に客と接して買わせていく姿勢（婦人が反物一つを買う場合はそこに腰かけを持ってきて、お茶を飲みながら一つずつ品物を調べて行く、と長野はここでも実例をユーモアを込めて、かつ感心しつつ紹介している）などで、とても日本の小売商は中国人とは太刀打ちできないと見なしている。

> 日本の小売商はとても支那人とは競争が出来なくて、支那本部からも満洲からも日本の小売商はだんだん駆逐されていく〔同前〕

そして、これは単なる経済の問題だけではない。清帝国末期から欧米列強の植民地の草刈り場と化し、辛亥革命以後も、いまだに政治的には混迷状態にあった中で、長野は、漢民族はこの時期に世界に進出することで、経済的にも、また将来的には政治的にも大国となることを予言していたのだ。特に長野は、南洋における中国の「経済侵略」を次のように指摘している。

中国国内の混乱によって、東南アジア、南洋に脱出する中国商人が増え、東南アジア全域の小売商は中国人商人が急増、卸売り業にも半分くらいは食い込んでいる。

> 支那人の小売商人が各地に喰込んで行く一つの特長は其長期信用にある。土人に品物を売込むが金は取らない。土地の生産品が出来た時に生産品で引取る。こうして売買の双方でうんと儲けた上に、未払の分には高い利息を付けるから、土人は経済的に次第に支那人に支配されて益々不利な立場に陥る。その方法たるや極めて悪辣《あくらつ》を極め（中略）粗末な品物で五倍十倍の高価な生産品と交換する。南洋だけでなく国内で蒙古人等に対しても同様のことをやる。〔同前〕

ここで書かれていることは、現在中国政府が行っている「一帯一路」政策の原型と言うべきものだ。「一帯一路」政策は他国のインフラ整備や経済発展を建前にしてはいるが、実際に現地でその事業を受注するのは中国の国有企業であり、インフラ建設に必要な資材、機械にも現地製品が使われず、中国から輸入される。しかも労働者すら中国人が動員される。これは事実上の経済侵略に繋がり、現地の経済は結局、中国の支配下に置かれていく。しかしこの政策は、現在の習近平体制が始めたものではなく、この時期に長野がすでに中国現地で実見していたものなのだ。

そして長野は、中国がいかに他国を利用するかについても、満洲の実例を挙げて指摘している。

> 或る外人は「支那人は他人に牛を飼わして自ら乳を搾る人種だ」と云った。誠に其通りで、南洋でも満洲でも外人は皆牛飼いの役割を務めて居る。満洲では日本とロシヤに散々金を注ぎ込ませ骨を折らせて甘い汁は皆支那人が吸うて居る。（中略）南洋でも面倒で金がかかる統治や治安維持等は外人にやらして、実利の方は支那人が占めて居る。（同前）

ここで長野が言っているのは決して極論ではない。満洲の治安維持や経済的安定は、当時の日本軍なくして、実現はほぼ不可能であった。そして現在では、こうした「統治や治安維持」を、中国が一帯一路において、中国共産党政権同様の各国の独裁政権、もしくは中国マネーに支配された政権にゆだねているという違いがあるに過ぎない。

人口侵略とジェノサイド

長野は、今後の中国人の世界への拡大を、以上のような「商人的発想」だけではなく、多くの中国人が「農業の民」である面からも論じていく。まず、長野はイギリスなど海洋国家の侵略や植民地主義と、中国の相違点を挙げている。

　古来大きな国をなしたものは商工の民でなくて農業の民である。英国のように商工の民で世界を征服して居るものは、一朝属領が独立した場合には、忽ち崩壊して元の小国に帰る外ないが、支那やロシヤの如きは、如何に混乱を続けようが、どうにもならない。〔同前〕

これはイギリス帝国主義は大東亜戦争と共に解体したが、ソ連のスターリン体制はかえって侵略により領土を拡張し、ソ連崩壊後も大国として存在し続ける現状を、見事に予見した言葉だろう。そして、中国の場合はさらに、他民族への単なる搾取ではなく、徹底した同化政策、それを拒否するものに対しては「絶滅政策」が取られることが、現在の習近平体制によって明らかになっている。そのことも、実は長野は予言していたのだ。

> 凡《およ》そ今の世界に支那人位深刻な侵略主義者はあるまい。欧米の侵略主義は他民族を統治し或は搾取するが、一方では産業を起して住民に食を与える。且《か》つ侵略が表面的だから、或る時期が到着すれば簡単に追払うことが出来る。然るに支那人の侵略は肉に喰込み骨をえぐるものであって、住民の生活を根本から奪い、これを絶滅せしむるものである。〔同前〕

この絶滅政策は周知のように、中国共産党政権の実現後、ウイグル、チベット、南モンゴルなどで実現した。ウイグルにおいては、全土で強制収容所が建設され、百万単位の無実の人々が収容され、アメリカをはじめ各国がジェノサイド（民族大量虐殺）として抗議している。チベットでは共産党政権成立後、一九八〇年代までに一二〇万人の犠牲が生じ、南モンゴル（内モンゴル自治区）では、文化大革命時代にモンゴル人が遊牧文化や民族文化を守っていたというだけの理由で虐殺された。こうして長野の予言は最悪の形で実現し、今も継続しているのだ。

この侵略は、単に政治権力によるジェノサイドや弾圧といった形をとるだけではない。漢民族の移住による征服、移住地における徹底した同化政策によっても行われる。長野は、漢民族が基本的に農耕民族であり、周囲の民族も、勇猛ではあっても遊牧民族が多かったこと、開拓そのものが侵略と一体化していたことを挙げている。

支那人の対外発展は昔から地を匍《ほ》うて進んできた。始め黄河流域に国を建て農を営んで居た彼等は、次第に四方に向って農地を拡げて行った（中略）支那人が周囲の民族を征服する場合には、軍隊は戦地に行っても容易に戦闘を始めないで先ず屯田をやり、開墾に従事し、二三年して居る間に相手に弱点が出来た時之れを敗り、後方から移民を招致して盛んに土地を開くために、侵略した土地だけは全く支那人の領土になる。仮令《たとえ》その土地を他日取られることがあっても、農民は残って居るから、支那の領土に変りはないことになる。支那がこうして四周に膨張し得たのは、支那が農業国であったのに、其周囲にあった国が遊牧又は牧畜の民であったため、牧畜の民は経済戦では農業の民には敵《かな》わない。支那人の開墾線が進んで行けば、牧畜の民は牧草が無くなるから、牧草を求めては未墾地に移り、次第に退却して行く。こうして数千年間孜々《しし》として支那人の開墾地は拡大され、それに従て農民の数も増加して今日のような国土と四億の民を有するに至った。〔同前〕

この指摘は中国の領土拡大の本質をついている。「小売り商人を第一線に、次に農民軍が進む」ことが本質であり、軍事的侵攻と共に中国人は商人と農民の力で勢力を広げていったのである。長野は先述したように、本書執筆の時点で、内モンゴルと満洲は漢民族に占拠されつつあり、将来的にはシベリアに向かうだろうと予告した。

　支那人、即ち漢民族の他民族に対する同化力の大なることは称賛の価値がある。今日満洲では満洲人は消え去って漢人の満洲になって居るが、漢人が満洲人に対して採った方法は、満人の姓を改めて漢人の姓を名乗らせ、満人の習慣を漢人と同じくして、満人の存在をなくした。満洲にある朝鮮人に対しても、彼等は支那服の着用と支那語を語ることを強要して居る。こうした彼らの強要力は甚《はなは》だ強く、次第に他民族を自己の民族内に没入せしむる。彼等は内蒙古でも蒙古人に対して同じく同化作用をやって居る。彼らの有《も》って居る文化は、善かれ悪しかれ四千年の歴史を経て居るだけに、何等之れと云う自己の文化を有たない蒙古人や満洲人を同化することは決して難しくはない。こうして古来幾多の民族が漢人の中に溶け込んで、今日の支那人を形造ったであろう。姓名、風俗、習慣、文字、それに雑婚、こうしたものが支那民族の同化方法である。〔同前〕

民族の交流、または民族による他民族の支配の中で、ある種の同化作用、もっと言えば文化的支配が起きることは、ある程度やむを得ない面もある。それが長い歴史の中で、時間をかけた交流の中で実現するならば、あらゆる民族がそのような過程を経て文化を創造し、アイデンティティを確立してきたとも言えるだろう。しかし漢民族の場合は、長野が明記しているように、全く違う文化的価値観を持つ他民族の地に一方的に漢民族固有の価値観を持ち込み、交流ではなく、自分たちの「領土」を構築して、その地を基礎として事実上の侵略行為を行っていたことに問題があるのだ。

ここでの長野の表現は、モンゴルや満洲人の文化に対する軽視の面を感じないことはないが、あえて言えば、中国人の文化的攻勢に対し、それを拒絶し自立性を保つだけの力を周囲の民族は文化面でも政治面でも持つべきだ、それなくしては征服されてしまうだけだという警告として受け止めるべきだろう。なにしろ、現代においては、鉄道のみならずあらゆる高速移動が可能になっており、長野による不吉な予言「地を匍《は》う支那民族に隣して居る日本が、今のような行き方では満洲人や蒙古人と同じく敗北する外はない」は、現代日本人も真摯に受け止めるべき言葉である。

そして、長野が漢民族とは決して同化し得ない存在として「二千万の回教徒」という章を設けているのは、これも現在のウイグル問題につながるものとして興味深い。長野はここで、中国人と混在して生活しているイスラム教徒である回族と、ウイグル人とをほぼ同一視して語っているが、基本的には信仰と生活習慣において、イスラムと中国人とは相容れないということを強調している。

まず、イスラム教徒は、少数の例外を別とすれば中国人とは結婚しない。豚肉がタブーであるため、食事も峻別することになる。また、信仰心が堅固であるため、イスラム教徒同士の団結力は強く、軍人としての評価も高く、教徒間での相互扶助システムや連絡組織も出来上がっているので、中国社会の中で隠然たる勢力を持っている。

回教徒の団結は非常に鞏固で、彼らの間には連絡が良く行われ、一教民の迫害に対しても、全教民が起って反抗すると云う風がある。これは彼らの宗教教義から養われたことは勿論《もちろん》だが、漢人種の圧迫に依《よ》ることも少くない。

（漢人と回教徒の）両者間の争闘は絶えず行われ、漢人官吏の回教徒圧迫が、数年時には十数年に亘《わた》る大乱を誘発し、数十万の血を流したことが尠《すくな》くない。（これは、一九三三年の東トルキスタン・イスラム共和国の独立に至る一九三〇年代初期のウイグル人の決起を指すと思われる：三浦）（同前）

長野はさらに、中国人は本質的に無宗教の民であり、仏教であれキリスト教であれ、またイスラム教であれ、形骸化してしまっていると述べている。このような宗教観の相違に始まる根本的な価値観の対立から、イスラム教徒が中国に同化することも、また中国人がイスラム教徒と他の民族のように混然一体となり共同していくことも絶対にあり得ないと長野は考えていたようだ。これは現在のウイグルにおいて、イスラム教の信仰を捨てず、ウイグル人としてのアイデンティティを守ろうとする人々は強制収容所に入れられ、中国人とウイグル人女性との間に事実上の強制結婚が強いられているという事実を、逆に裏付けるものとなっている。

　本書ではこのほかにも、中国人の様々な性格が長野の実体験に基づき、しかもかなり露悪的に描写されている。だが同時に長野は、中国人の間には政治権力、特に官僚組織の支配から完全に自立した民衆の自治共同体が作り出されていることを高く評価し、この共同体＝社稷の存在こそに、国民党政府や軍閥の問題点、また様々な中国人の欠点を解決していく可能性と、未来の中国社会の改革への希望を見いだしている。

　この問題については、後の第五章にて、長野が日本における「昭和維新」「農村救済運動」に参加していく過程を述べる部分で再説したい。

第三章　長野朗が見た絶望の中国

『支那三十年』を読む

『支那三十年』は、一九四二（昭和十七）年に大和書房から発行された。長野朗が辛亥革命直後から支那事変までの時代について、当時、中国の現場で見聞した事象を記録したものである。しかし、例えば北一輝が辛亥革命を回顧した『支那革命外史』にみなぎっている、革命への情熱と絶望的な挫折感、今後の日中両国の未来を切り開かんとする激烈な意志などは、本書には全く感じられない。また、同じく支那通軍人だった佐々木到一《とういち》のような、日中連帯を夢見て国民党に協力し、それが挫折した後は満洲で近代的な軍隊建設に尽くすという、主体的に中国の現状改革に身を投じる姿勢もまた伺えない。

長野は自らの生きた中国近代史を、冷静なルポライターとして綴っており、本書序文には、そのような本書の性格が簡潔に述べられている。

私は民国元年には武漢に居り、三年には山東に、八年から十年、十二年から十三年まで北京、天津に住み、その後は北支に中支に絶えず旅行し、事変後も十数回支那を視察し、この三十年間の支那の実際の動きと、現実に私の眼で見、耳で聞き、頭で感じたことを、ここに書き綴ったのである。（中略）この記述も、大部分は私の見聞記であって、ただ一つの時代と次の時代との継《つな》がりに、その間の状勢の変化の概略を説明的に入れたに過ぎない。

長野朗『支那三十年』

本書は大別すれば、ほぼ三部に分かれる。第一部、辛亥革命とその後軍閥が跋扈《ばっこ》した時代を描いた「民国革命の頃」「北京政府時代」の章までは、清朝は斃《たお》れたものの、国内統一と近代化には程遠い混迷期の記録であり、第二部は蒋介石を中心とした北伐の実行と国民党政権の時期、第三部は支那事変とその後の日中戦争の時代だ。本書はその時期ごとの中国民衆の意識の変化を着実にとらえている。本章ではこの三つの時代区分を念頭に、多少私なりの歴史解釈を交えつつ、長野の著述を読み込んでいくことにする。ただし、軍閥の抗争史については、貴重な記録ではあるけれども、煩雑になりすぎるので、ここでは最低限の人物紹介にとどめる。

辛亥革命の終焉と軍閥時代の到来

辛亥革命はほとんど偶発的に成功した革命だった。一九〇五年、日本にて孫文を中心に中国革命同盟会が結成されたが、その後同会の主導した中国各地における武装蜂起は、ことごとく失敗に終わる。孫文は、資金調達と新たな可能性を求めて欧米に旅立った。しかし、黄興、宋教仁、陳其美らのメンバーは、孫文とは別に、香港などを基盤に活動を続けていた。

好機が訪れたのは、一九一一年に清朝政府が、国内改革の一環として全国の鉄道網を国有化する計画を打ち出したことである。これ自体は、国有と私有の鉄道が無秩序に混在し、予定されていた路線工事も停滞していた現状を改善するための正しい政策だった。しかし問題なのは、清朝政府に対する信用が民間に全く失われていたことである。私有鉄道の国営化も、鉄道工事のための外国からの借款も、所詮、腐敗官僚の私腹を肥やすだけではないかと疑われ、当時の新興資本家を中心とした全国的な反対運動が発生、四川省では暴動も起こった。

革命派はこの機に乗じようと、一九一一年一〇月、河北省武漢（この地は漢水の流れが揚子江に注ぐ合流点で、武昌、漢陽、漢口の三つの都会が合わさって武漢三鎮と呼ばれていた）における決起を計画。同地に駐留していた軍隊内にも革命に呼応する勢力があり、準備が進められた。だが、その途中に、隠れ家で製造中の爆弾が暴発、警察の捜査で計画が発覚してしまう。革命派が次々と逮捕されていく中、もはや猶予はならじと、軍内部の革命勢力は独自に決起した。

支那三十年

もしも現地総督が直ちに鎮圧にあたれば、準備不足だった蜂起軍は敗北した可能性が高い。しかし、現地総督はおびえて逃亡、決起軍は武漢の中心地・武昌城を占拠する。これが武昌軍政府の樹立だが、指導的な革命家は誰ひとり現地にはおらず、現場にいた軍人、黎元洪が指導者に担ぎ上げられた。この革命軍による武漢三鎮制覇こそ、辛亥革命の始まりだった。

この決起を最大限に利用したのが袁世凱である。清朝政府は、当時遠ざけていた袁世凱を再び召喚して鎮圧にあたらせようとするが、袁世凱は最初は病気を理由に断り、最終的には、自分が内閣総理大臣として全権を掌握することを条件に引き受けた。

歴史家の宮崎市定によれば、袁世凱は子飼いの将軍である段祺瑞や馮国璋らと共に、現地の状況を詳しく調査し、革命軍はまだ弱体であることを見抜いていた。宮崎は袁世凱が自らの手に権力を握るために、蜂起軍をひそかに裏から支援し、清朝政府が袁の軍事力に頼るしかない状況を作り出した可能性すらあると述べている。事実とすれば、まさにマキャベリズムの極致であるが、このような将軍しか、末期清朝には頼れる有能な人物がいなかったのだ。

その後、革命の勢いは各地に広がり、南京、上海なども革命派が勝利する。しかし、武昌においては逆に政府軍の反撃を受けた。ドイツ軍からの支援を受け強化された政府軍が漢口を占領し、これに対し革命の指導者黄興が軍を率いて攻撃をかけたが敗北、さらに漢陽も政府軍に奪還される。この一連の流れを『支那三十年』の記述から読んでみると、当時の時代風景が生き生きと浮かび上がってくる感がある。

> 当時の武漢革命軍といったら話にならぬ。日清戦争の絵にあるような三角旗を立て、木棉の服に布れの支那靴を穿いたものが多く、革の靴は滅多に見なかった。（中略）兵隊の恰好を見ると、例のように弾丸をさした弾帯を斜に肩にかけ、一方の肩からは雨傘を背に負い、首から胸の所に水煙草の道具をぶら下げている所は滑稽至極《こっけいしごく》で、十五、六歳の小供も居れば四、五十歳の老年もいた。苦力《クーリー》を募集してそれに軍服を着せ鉄砲を持たしたので、それも働けるものは兵にならず、体が悪くて働けないのが仕方なく兵になる。そこで兵の訓練などは勿論やらず、一寸一日三十分か一時間まま事《ごと》のような練兵をやる。
>
> 長野朗『支那三十年』

　また、実際の政府軍と革命軍の戦争も、当初は両軍とも、朝もゆっくり起き、朝食をとってから始まり、昼食時は休戦、日が暮れれば夜襲などは考えもせず眠るという牧歌的なもので、死傷者も数名しか出なかったという。多少の誇張はあるとしても、政府軍、革命軍共に一部を除いてはほとんど政治意識などなく、ただ指導者のみが使命感に駆られていた現実をそのまま表しているのだろう。だからこそ、次のような学生たちの奮戦が、長野を含め人々の心を打ったのだ。
先述した黄興の軍と政府軍（長野は、清朝政府からの討伐軍を「北軍」と呼ぶ）が激突した時、政府軍の砲撃で革命軍はほとんど四散してしまった。

大別山《たいべつざん》という小さい丘がある。そこは学生軍が守っていたが、他の軍隊がだらしなく逃げたのに、ここの学生軍だけは最後の一兵までも踏み止《とど》まって防戦し、あたら若き身を革命のために散った。我が会津飯盛山《いいもりやま》の白虎隊に例えられ、今も大別山を訪う旅人の涙をそそるものがある。漢口、漢陽を取られた革命軍は、揚子江の南岸武昌に拠った。当時北軍の力では、之を取ることは容易であったが、袁世凱は南軍を抑えながら、之を潰さず、却てオトリにして清朝退位の人芝居を打ち、うまうまと大総統になり、革命軍の鼻を明かしたのである。〔同前〕

長野は袁世凱の狡猾さと、初期革命軍の非力さなどを的確に描いている。孫文はアメリカから帰国したが、本国の革命派が期待していた闘争資金は持ち帰ることが出来なかった。革命は、清朝打倒までは成功したものの、結局、袁世凱の独裁体制が成立する形で終わる。常に革命の最前線で戦ってきた宋教仁は暗殺され、黄興は力を失った。黄興について書かれた次の文章は、袁世凱や孫文とは違う彼の性格を伝えている。

（中華民国建国直後に長野らが面会した時）黄興は一人で広い部屋の真中に陣取っていた。革命実行派の親玉というから、どんな厳しい男かと思っていると、我々の面前に現われたのは、背も相当にあるが肥《ふと》った大柄の温順《おとな》しそうな男であった。これが革命をやるのかと疑って見たくなった。（中略）

その後黄興が支那街の人込みに揉まれ、人力車で通っているのに出会って会釈したことがある。彼は平気で人にも会うし町も歩き廻る。ただ周囲の者が心配している。それが孫文になると往来には厳重な護衛が付いているし、袁世凱になると一層甚だしく、町の両側に護衛が並び、更に家の屋根の上にも立っているし、自動車の前後に居るし、自動車の両側にも居る。（同前）

黄興は革命家の中でも誠実な性格で知られ、人望も厚かったが、指導者の地位につくことは辞し、特に辛亥革命以後は、孫文を支持しつつも、彼の独裁的傾向には反対した。海外の安全地帯から扇動するよりも、常に蜂起の現場で自ら戦おうとしたことも、彼の革命家としての信念と責任感と言えよう。黄興は権力の座に就くことなく一九一六年に病死した。

黄興

また、本書には取り上げられていないが、孫文の革命路線と袁世凱の独裁政権双方に反対し、一九一三年袁世凱により暗殺された宋教仁は、初期革命運動の最も純粋な精神を体現していた人物と言えるだろう（宋教仁は孫文路線を、中国各地域で無謀な蜂起を乱発し、かつ外国の支援に頼るものとして批判した。この宋の理解者であり盟友だったのが北一輝である）。

だが、問題は当時の中国民衆が、革命の現場であるはずの漢口郊外においても「政治に関しては全く無関心」で、袁世凱という名前も知らず、さらに地方に行けば「明朝か清朝か民国か、そんなことも知らない」という意識状態にあったことだった。

いかに革命の理想を説いても、それが伝わるのは運動家の枠内にとどまり、近代的な国民国家建設や民主主義制度の確立などの意義は民衆にはほとんど理解されていなかった。それに対し、袁世凱の軍事独裁・専制体制は、それまでの皇帝による力の支配と同じ構造を持っている分、むしろ成立しやすいものだった。秩序回復を一刻も早く望むイギリスも袁世凱を支持した。

袁世凱の銃剣の前に（革命派は）無残にも踏みにじられ（中略）民国十五年（大正十五年）の夏、蒋介石の北伐軍が起るまで、広東の一隅に忍苦の生活を送らねばならなかった。（同前）

袁世凱が一九一六年に死んでからは、様々な軍閥による群雄割拠の時代が訪れた。長野は当時、北京や天津に住んでおり、一九二四（大正十三）年に一時、日本に帰国している。

民衆に対する搾取・掠奪・拉致・暴行

長野は本書で、袁世凱をはじめとする軍閥勢力の問題点をまず力説した。

> 軍閥というのは武力を資本にした一の利害団体だから、その組織も全く私的な親分子分関係になっている。〔同前〕

軍隊は軍閥の私兵であり、その費用もすべて「親分」が賄《まかな》う。軍閥はその支配地で民衆から税金を集めても中央政府には送らず、私費を肥やすか、私兵を養うために使う。これでは中央政府も国会も成り立つはずはない。軍閥同士の戦争も「元来商売事」であり、双方の軍に内通者がおり、有利になったほうに寝返る。また、中立を決め込んで、勝敗の帰趨が明らかになれば、敗軍の側を襲い、武器を掠奪するようなことは当たり前である。そして長野が最も問題としているのは、軍閥が民衆に対する悪辣な「誅求《ちゅうきゅう》（厳しい取り立て）」を行ったことだ。それも税を取り立てるだけではない、あらゆる形での搾取や強奪が行われた。

「第一は租税である。」軍隊は各地で直接徴税するようになり、特に通過税が、道路や河の沿岸などに五里、十里ごとにかけられた。

広東で或る商人が舟で広東市に荷物を出すのに何十回か課税され、税金が品物よりも高くなった（中略）

四川の如きは地租を一年に二年分三年分と取るので、二十年、三十年先の税金を前取りするようになった。酷いのは四十年も六十年も先のを取ったのもある。〔同前〕

このように、税金のある種「前払い」まで強要された。税金の他にも、公債の発行が行われたが、返される保証もなく、強制的に寄付させるようなものである。富豪の財産を調べ上げ、その額に見合った（と、勝手に判断した）公債の買い取りを要求するのだ。また、軍用金の強制徴収も行われた。

県知事に対しお前の県は五万元出せとか三万元出せとか言い付ける。県知事は金の調達

> に困り、中には人民から無理に取るのを苦にして自殺したのもある。県知事が駄目だと、それを免職し、ゴロツキを連れて来て県知事にして金を調達させる。（また、敗走する兵士が）金の有りそうな町に来ると、そこに据《すわ》り込み、如何にもそこで戦争しそうな恰好をする。町の方ではやられては堪らぬので、何んとか逃げてくれないかということになる。それなら何万元出せというので金を取る。こうして逃げながら方々で軍資金を稼いで行く。
> 〔同前〕

この他にも、軍人がある町を占拠し、各商店の店主らを追い出した後で商品の大安売りを行い、商品を売り払ったあと、売上金を持ってそのまま去ってしまう事例もあった。

また長野は「支那軍閥の近代的な最良搾取手段は貨幣を利用する」ことだと述べている。「労すること最も少く、効を収むること最も多い」手段であり「中央軍閥は中央銀行を、地方軍閥は地方銀行を設け」た（張作霖の東三省官銀行、蒋介石の中央銀行など）。確かに、紙と印刷機があれば紙幣は刷れるのだから、各軍閥は争って発行するだろう。

しかし「各省軍閥の紙幣発行には人民は相当に悩まされた」という。軍閥が数百万元の紙幣を発行しても、民衆はこれを信用せず受け取らないので、まずそれを、軍隊の給料として渡す。兵士は、例えば十円札で十銭程度の買い物をし、お釣りを得る。店側としては信用のおけない紙幣ばかりが残り、その軍閥が敗れて没落すれば紙くずとなる。すると、新たな支配者となった軍閥が再び自家製の紙幣を発行するのだ。これに対し、民衆がどのように復讐したかについての長野の記述は、漢民族の苛烈さと共に、長期的な時間感覚を見事に伝えている。

　革命軍が江西に入った頃、人民の多年の鬱憤で、江西省銀行の頭取のたった一粒種の愛息が人民に殺された。これが支那式の深酷な敵《かたき》討ちである。親爺《おやじ》を殺さずに息子を殺《や》ったのは、親爺を殺すより其方がより効果的だからである。〔同前〕

　さらに長野は、黄河の治水工事こそが古来中国における最も大規模で重要な国家的事業であり、その工事の監督者は莫大な富を得る（逆に言えば、重労働で民衆を働かせて事業費用をかすめ取る）が、数十年後の洪水の時は、必ずその監督の住む村の堤防が決壊するという、民間で広く言われている説を紹介している。もちろん、労働者たちが、監督の住む村の堤防だけを弱く作り、次の洪水の時に「かたきを討つ」のだ。

　軍閥はまた、麻薬のアヘンを大きな財源としている。

　阿片《アヘン》は非常に高価なものだから、之を栽培するとうんと税金が取れる。植付の時、収穫期、販売、製造、売出し、吸飲といろいろ名目をつけて六、七回も税金が取れるので、大いにこれを奨励し、軍隊の保護の下に行われるから世話はない。〔同前〕

長野によれば、このアヘン売買は軍閥も、また軍閥を征討した蒋介石も同様に行っており、「蒋介石も阿片の密売は盛んにやり、奥地の阿片を上海で捌《さば》いて」いた。上海の公安当局がそれを検挙したので、蒋介石は怒って公安局長を首にしたという。上海が当時アヘンの最大消費地であったことは言うまでもない。

軍閥の悪行はそればかりではなく、「拉夫」つまり民衆を拉致することもある。

兵隊が荷物を運ばせたり、塹壕を掘らせたりするのに土地の壮丁《そうてい》を掻っぱらって来るのである。〔同前〕

民衆はこれを恐れて、軍隊が来るときには隠れている。そこで軍隊は、無理やり人数を集めるため、わざと喧嘩やトラブルを起こし、野次馬たちが集まってくると、たちまち彼らを拉致してしまう。

「拉夫」たちは労働現場では酷く虐待され、時には殺傷されることもある。もちろん、脱走者も出るため、夜は監禁されて見張りが付くが、それでも壁に穴をあけて脱出するものがいるという。他にも、人間だけではなく軍馬を徴発することも行われた。農村では、耕作から運搬まで馬に頼っているので、馬を取られては生活が出来なくなる。

そして、民衆が掠奪や戦争よりもさらに嫌い、恐れるのが、軍隊による女性への凌辱である。特に、敗軍の退却時に酷いことが起きる。

> これは支那兵の常習的なもので、駐っている時も行軍中にもやるので、軍隊が来ると女は皆逃げたり隠したりする。（中略）或る軍隊が女学校を包囲して女学生を蹂躙し尽したことがあり、同じ女学校が二度も襲われたことがあるが、一向処罰されたこともない。或る町では若い女を一つの廟に集め、兵隊の自由に任せたことがある。〔同前〕

正直、兵隊が安い給料でも軍隊に志願するのは、このように掠奪と強姦という「役得」があるからだ、と長野は断言している。まさに中国のことわざ「よい鉄は釘にはならない。良い人間は兵隊にはならない」が示すように、軍閥指揮下の兵隊は、民衆にとって怨嗟の対象であり、搾取、掠奪、拉致などを行う暴行集団だった。

このことは、中国共産党の指導者・朱徳を徹底的に美化し、英雄として描いた（もっとはっきり言えばプロパガンダ文書である）アグネス・スメドレーの『偉大なる道』でも明らかにされている。朱徳は、わが中国が満洲人の支配下に置かれ、西欧の植民地にもされている現状を打破しようと、軍人になることを決意した。しかし両親や親族は、最初は「本を読み過ぎて頭がおかしくなっているのだ」と思った。ついに朱徳が本気だとわかると、軍人になるなど「世の中の屑の仲間入り」をすることだと見なされ、親からも親族からも縁を切られたのである。

弱い者は乞食になり、強い者は土匪になる

軍閥を激しく批判しつつ、長野は、農村における民衆の生活実態や意識について、深い興味を示している。漢民族の本質を「農耕民族」と考えた長野にとって、農民たちの生活意識こそが、中国情勢を考える上でのカギだったのだ。一九二四（大正十三）年、長野は河北省の二十数県を視察し、次のような記述を残している。

> 支那の農村を見て廻って感じたのは、支那には昔ながらの自治が行われて、北京で何が起っていようと、依然としてやっていることである。〔同前〕

村役場などはなく、物事は村の長老が集まって決定する。駐在所もなければ巡査もおらず、裁判も大体は村の長老会議で決める（どうしても仲裁ができない場合は県の裁判所に持ち出すが、裁判所の判決は賄賂《わいろ》で決まってしまうのであまり評判は良くない）。学校はあるが貧弱で、就学者は学齢児童の一割か二割。小学校を出れば、村では知識階級である。

> 支那には戸籍もなければ兵役もなく、宿屋に泊っても宿帳もなく、生れても結婚しても死んでも届けるでなく、政府は税金さえ取れば宜《よろし》いので、他は人民が生れ、生き、死ぬるに任せてあるので、支那の内地を歩いていると、全く悠暢《ゆうちょう》で呑気《のんき》なものである。〔同前〕

長野はこのような農村の風景、食料から洋服まで自給自足で、貧しいながら充足している生活に、深い共感を示しているように思える。長野は、農村で「お婆さんはぴいぴい糸車を曳いて紡いでいる」と、その姿を愛情をこめて記しており、清朝末期から都市部で近代化や工場建設が始まり、農村にも貨幣経済が侵入してくる過程に複雑な思いを抱いていたと思われる。この心情は、一九三〇年代、長野が昭和維新運動の中で権藤成卿の思想に共感していくことにも、つながっている。

だが、長野は一見牧歌的に見える中国の民衆が同時に激しい戦闘者にもなりうることを、「土匪」の出現として、臨場感を持った筆で描き出している。

外国では飯が食えなくなると失業者となって現わるるが、支那人は自主自治の民であるから自分で何んとかして食って行く。支那人からいえば、生きるということは最上の道徳であるから、正当な方法で活《い》きられなければ不正な方法でも生きて行く。そこで弱くて正直なものは乞食となり、若くて強いものは流れて土匪となり、或は兵に応ずる。こうしたものが増えると支那の天下は乱れて来る。〔同前〕

長野によれば、土匪が最も出現したのは、一九一九年から二〇年にかけての「軍閥争覇戦」が始まったころのことだった。民衆は、軍閥の跳梁《ちょうりょう》、過重な税金と収奪などで食えなくなれば、土匪か乞食のいずれかになった。共に、集団で行動することに変わりはなく、乞食は豊かな町を目指して集団で移動し、土匪は武装して一定地域を縄張りとする「山賊」となった。「土匪でも頭目位《くらい》になると却《かえっ》て郷党の名誉になる。郷里から頭目が出ていると、その村は荒さないので村人は安心して居れる」のだ。その村では青年たちが喜んで土匪に参加する。

また軍閥の戦争が続けば、負けた方の軍隊はそのまま土匪となる。また、軍の給与が不足すれば、不満を持った兵士たちも脱走して同様に土匪となる。長野は、一九二三（大正十二）年ごろには、土匪の数は全国で百万人ほどになったと記している。

土匪は、権力をかさに着て民衆から収奪する官僚や、民衆に君臨する富豪には強い悪意を抱いた。富豪を捕えては人質として身代金を要求し、交渉がうまくいかなければ残酷な拷問にかけた。同時に、仲間同士では仁義が堅く、約束を守り、長野によれば「支那人の社会で珍しく嘘のない所」であった。

長野はただ一言で、この土匪の本質を現わしている。すなわち「民衆には孔孟の教《おしえ》よりも、水滸伝《すいこでん》の感化が大きい」。

孔孟の教えである儒教は、その思想的本質はさておき、中国においては支配体制を正当化する論理である。それに対し、水滸伝に描かれた、梁山泊《りょうざんぱく》につどう盗賊たちは、社会からドロップアウトした山賊（＝英雄豪傑）たちであり、かつ腐敗した官僚組織や富裕層を罰する民衆の英雄の象徴なのだ。

本書に紹介されている、列車強盗で有名となった土匪団の布告文には、土匪と彼らを英雄視する民衆の世界観が典型的に表れている。


近頃国乱れて是非顛倒し、加税に次いで徴発をやり、四民は安んじて業につけない。それに貪官汚吏或は劣董悪紳が勝手に横行するので、我々豪傑は平然たるを得ぬ。今日では金があり縁故があり、奸智に長《た》けたものが蔓《はびこ》って、我等兄弟一腔の熱血を胸に蔵するものは不遇に沈淪せねばならぬ。我々が緑林の衆を集いて号嘯するのは、この腐敗分子を根絶するために外ならぬ。（中略）平民を主義とし、共産を目的とする。そして先ず貪官汚吏劣悪富豪を殴り殺して支那腐敗の病根を絶ち、清い新しい世界に変えよう〔同前〕

長野は、「平民を主義とし、共産を目的とする」というのは西欧の共産主義とは無関係で、悪しき支配層である「貪官汚吏劣悪富豪」を廃し「真に村人の村を作る」ことを意味するという。長野は、この檄文が中国農村の自給自足体制を社会の理想とし、官僚機構や近代資本主義に対し、民衆感情の地点から反発するものであることを直感的に理解している。

ただ、土匪が山賊集団であることに変わりはなく、富豪たちが土匪を恐れて逃亡すれば、残された貧しい人たちも襲われたし、単なる泥棒集団に過ぎないものも多かったろう。しかし、土匪の親分の、富豪や役人は襲うが民衆には手を出さないという水滸伝的な英雄像は、理想としては民衆にも、土匪自身の間にも共有されていたのだ。だからこそ民衆の側は、土匪征伐をする軍隊をそれほど歓迎しなかった。

軍隊よりはまだ土匪がましである。軍隊は只《ただ》で人民の物を取るが、土匪は定価以上に金

を払って行く〔同前〕

何より重要なのは、軍隊は平気で女性を襲うが、土匪はあまりやらない。さらに土匪と討伐軍はしばしば内通していた（もともと、兵隊が脱走して土匪になったり、またその逆に、土匪が兵隊に雇われたりするのが日常茶飯事だった）。

例えば、土匪討伐軍の名人と呼ばれる軍人が、ある村を土匪が襲撃するのを知っていながら、隣村にとどまったままで、掠奪が終わったのちに戻り、そこに残った村人を処刑して「土匪を追い出してその首領の首を取った」と偽って、土匪からは襲撃を見逃した礼を、当局からは征伐の褒美をもらっていたという。

このように軍隊が頼れなければ、民衆は武装し自衛するしかない。そのためには組織化も必要となる。ここで生まれたのが、白蓮教や義和団の流れをくむ、紅槍会という宗教組織だった。会員たちは、教えに従って修行すれば、刀も銃弾も通じなくなるという教祖の教えを信じこみ、勇敢な戦士となった。最初は村を土匪から守る自衛団としての役割を果たしていたが、次第に、軍隊による人民に対する苛斂誅求《かれんちゅうきゅう》（非常に厳しい取り立て）に対して立ち上がるに至った。

紅槍会の勇戦は、しばしば軍閥の軍を打ち破ったという。もちろん土匪も、またこの紅槍会も、一方はアウトロー集団、一方はある意味カルト宗教組織である。しかし、長野は彼らの、軍閥支配に対する民衆の抵抗運動としての側面を、見失うことなく評価したのだ。

また長野は、より理性的、進歩的な改革運動として、知識階級や一部の商工人の間に生じた、いくつかの運動を紹介している。

一つは連省自治の運動であり、各省がそれぞれ自治政府と独自の憲法を作り出し、民主的な議会政治によって軍閥に対抗しようとするものだ。長野は、湖南省における自治運動において提起された憲法を紹介し、普通選挙の実施、女性参政権、議会による政府の監視、軍と政治の徹底した分離など、優れて近代的な提案がなされていることを紹介している。他にも、軍と政治の完全分離や軍縮を求める廃督裁兵運動、各省政府の財政公開と進歩的な起業家による財政管理を求める財政公開運動などが生じた。

長野はこれらの運動を、近代改革を求める革新運動として評価しつつも、同時に「軍閥の銃剣の前には、武力なき民衆の動きは何の結果も残さず、且つ運動がすべて軍閥を制限する消極的のもので、進んで新しい社会を造る主義と建設を欠いていた」と、その限界をも指摘している。

要するに、軍閥の軍事力を言論や憲法で制限する試み自体が空しいものであり、また、その運動には、改革のためには軍閥勢力を打倒しなければならないという、明確な意思が欠けていたのだ。

長野は、軍閥勢力打倒と近代化を実現する力を持っていたのは、理論的な革新運動ではなく

「国民革命」と呼ばれる、国民党と共産党の合作による新しい革命運動であり、それを一定程度完成させたのが、蒋介石の「北伐」による中国統一であると見なした。しかし、それは同時に、激烈な「排日運動」と表裏一体のものでもあった。

激化する抗日運動を扇動した者たち

一九一八年に第一次世界大戦が終結、最終段階で連合国側に立ち「戦勝国」の仲間入りをした中華民国は、翌一九年からのパリ講和会議に参加し、当時日本が占領していた山東地方を中国側に直ちに還付することを求めていた。日本に敵対的だったアメリカのウィルソン政権は、中国側の積極的な外交交渉もあり、既に中国支持の姿勢を固めていた。

しかし、日本からすれば、ドイツが山東省に持っていた権益を日本が継承することはすでに袁世凱政権時代の一九一五年、日華条約で決定済みのことであった。さらに、日本の山東出兵時には局外中立の立場を取っていた中国が、その後連合国側に立って参戦したからといって、犠牲を払って日本が奪取した地域を無条件で受け取る権利があるはずはない。中国はまず日本と交渉し、順序と条件を受け入れた上で山東地域の還付を受けるのが国際法的にも常識であった。会議の場でも、英仏は日本側を支持し、日本側の主張がほぼ受け入れられたのである。

パリ講和会議の結果が伝えられると、中国では直ちに日本への抗議行動が発生した。五月四日、北京大学をはじめ、多数の学生たちが天安門前に集結して抗議デモを開始、親日派と見なされた交通総長・曹汝霖の自宅を襲撃、邸内に侵入して破壊行為に及んだ。七日には、日貨排斥として日本商品が集められ、ことごとく焼き払われる事態に至った。その後、運動は全国に拡大してゆく。

いわゆる五・四運動の始まりであるが、この運動を扇動、準備した有力者の一人は、北京大学文科長の陳独秀だった。彼は儒教道徳など中国の古来の伝統的価値観を、近代化を妨げ自由を抑圧するものとして激しく批判する論説を展開、急進的な学生たちの間に深い影響力を持っていた。陳独秀は五・四運動発生の約一か月前、北京市街にて宣伝ビラをばらまき、軍閥である段祺瑞や曹汝霖が、日本からの借款を着服して私腹を肥やしていると攻撃した。当時の徐世昌総統は、直ちに陳を逮捕した。

陳独秀は釈放後に大学を追放され、上海に赴き、その後ソ連と同地で接触。一九二〇年、中国共産党創立準備会を組織して、翌二一年の正式な共産党結成大会で初代委員長に就任する。これにより、中国に組織的な共産主義運動が成立することになった。

この運動について、長野はその背後関係や現場の情景を次のように説明している。

第一には英米が欧洲戦争中に、東亜の市場を日本に独占されていたのを、何んとかして取戻そうとして、排日を煽り日貨排斥を宣伝した。欧洲戦争中はさすがに気兼《きがね》していたが、休戦ラッパが鳴り響くや忽ち英米新聞が排日の宣伝を始め、それが支那新聞に伝染し、漸《ようや》く気勢が出来て来た。そこに欧洲戦後の新思想が北京大学の学生教授の中に流れ込み、一方では当時北京政府の政権を握っていた親日派の段祺瑞一派に対し、反対派の直隷派や失意政客が段派を倒して政権を握る手段とした。それに新興支那財閥の国貨運動も加って、排日の気勢が醞醸《うんじょう》されて来た。〔同前〕

長野によれば、五月四日の夜の段階では、デモに参加した学生たちの多くは、激情に駆られて暴力的な行為に及んでしまったことに、むしろおびえていた。しかし、翌日の新聞が彼らの行動を称賛し、政府も断固たる姿勢を示さなかったために、この運動は全国に伝搬するほどに勢いづいたのだ。また、はっきりと目についたのは英米人による扇動であり、公使が自ら訪れて運動費を支援することすらあり、外国の新聞も「排日運動の音頭取り」をし「支那紙を買収して盛んに」やらせたという。現場では、宣教師、特に基督《キリスト》教青年会の活動が目立っていた。そして、当時はまだ日英同盟が継続中だったので、イギリスはアメリカを表に出し、裏で排日運動を支援した。

彼等の最も恐れたのは日支の結合である。日支が結合すれば、世界何物も之を冒すことは出来ない。それでは彼等の野望が達せられないので、先ず日支を離間することに全力を注ぎ、次に之を衝突させ相闘わしめようとした。この遠謀深慮は、二十年間の撓みなき努力により、蒋介石の長期抗戦となって現われた。英米が其最も良き走狗蒋介石を見出してから既に十五年である。今日ABCD線等と言って居るが、それは既に二十幾年も前に出来て居たので、日本国民が余りぼんやりしていたのである。〔同前〕

ここでも長野は、中国側のみならず、日本側の無策や認識の問題を批判している。
この抗日運動は、当初は幼稚なものであり、参加者もどこまで本気なのか怪しかった。

初めは一般民衆は極めて無関心で（中略）やっている学生も気が抜けているようであった。識者は苦々しく思っていた〔同前〕

日本製品ボイコット運動も同様で、商人たちは、いやいやながらやっている感があった。しかし、運動は次第に本格化していく。その原因について、長野は「英米資本の東亜独占」の野望と「支那の民族主義」が合体し、それが英米資本と中国新興資本の合作による日本製品ボイコットにつながったこと、その線上に蒋介石と英米の連結が生じたことを挙げている。
抗日運動が激化していくもう一つの要因は、運動への共産主義勢力の浸透である。

大正十二年頃から少し雲行きが変ってきた。学生会のリーダーは、英米系の基督教青年会の幹事から、何時の間にか共産主義青年団の幹部となり、排日から反帝国主義運動になった〔同前〕

蒋介石(左)と毛沢東(右)

共産党の組織論、運動論が持ち込まれ、労働者や農民にも様々な抗日宣伝が行われていく。特に、抗日映画を通じた宣伝は、女性や子供に強い影響を及ぼしていった。
長野は「国民革命は国民党と共産党の合作であった」と断定する。ここで長野が言う国民革命とは、ほぼ、蒋介石の北伐とその後の国内統一を指すと考えればよい。中国共産党は先述したように一九二一年結成されるが、弾圧が厳しく簡単に勢力を伸ばすことは出来なかった。国民党もまた次第に官僚化し、内部抗争に明け暮れるようになっていた。国民党は、北方の軍閥勢力を打倒するための資金と軍備、そして革命的情熱を持った組織集団を獲得するために、共産党と手を組むに至ったのだ。共産党を通じ、ソ連は次々と活動支援金や工作員を送り込んでいく。長野は、ハルビンから来た、おそらく共産党系の工作員と偶然、汽車の寝室で出会ったこと、上海行きの船の中で、女性を連れたソ連人と乗り合わせたことを述べ、運動へのソ連の支援を具体的に述べている。

> 上海の運動費を為替《かわせ》で送れないので、人が直接持って来るそうである。それを共産党の幹部で適当に分配する。金が確実に到達し、適当に分配されたかを調べるために、必ず第二の使者が続いて出発することになっている。（中略）労働運動をやっている共産党員は、職工達に至るまで勇敢に戦うのは、共産党員になれば、月二、三十元の手当があるから、十元かそこらの月給を棒に振るのは何でもない。〔同前〕

同様に、学生の中からも優秀と思われるものを共産党員として選抜し、月に数十元の学資が与えられていたという。

長野は、共産主義が中国に根付くことは、その国民性からありえないと考えていたが、同時に、共産党の組織力や行動力、そして彼らが労働者に及ぼした影響については高い評価を下していた。さらに長野が慧眼だったのは、都市革命を目指す初期共産党の運動方針が失敗を余儀なくされることを、この時点で見破っていたことである。

一九二六年、蒋介石率いる北伐軍が武漢を占領し、同年一二月、国民党左派が共産党系と連携し、広州国民政府が成立する。その実態は以下のようであった。

> 理想に駆られ、無暗に焦り過ぎる若き小児病的な共産党員、古い型を新しい革命の上衣で覆い隠している土着軍閥、気の抜けたような民国革命当初からの国民党員、蒋の周囲にある宋子文等の財閥等が、混然としていた。〔同前〕

武漢の民衆は、当初、国民政府は自分たちを収奪してきた軍閥を追放し、生活を救済してくれるものと期待し、歓迎していた。しかしその後、共産党系が主導する「都市労働者革命」「階級闘争」を志向する過激な政策が実施されたことにより、かえって民衆の離反をもたらしてしまう。

労働者の賃金は、平均でも六割、場合によっては二倍、三倍に引き上げられたが、同時に「組合費」として労働組合費が日々徴収され、人々はこれも新たな搾取ではないかと疑いはじめた。

無理な賃上げや急進的な革命志向により工場現場は混乱し、企業主がその賃金では労働者が雇えず、結局、職を失うものも増え、稼働できなくなった工場も生まれた。中国人労働者一般の思考として、賃金が上がることよりも、職を失わないことにより関心を持つため、強引な賃上げはかえって解雇への恐怖につながったと長野は指摘している。

また、階級闘争論が導入されて、「ブルジョア」である商工人への弾圧は激しくなり、家屋税として三か月分の家賃を請求し、アヘン税、遊興税などの名目で課税が行われ、自動車は革命軍に没収された。極端な例では、医学校すらも没収され、日本の企業が売却した医療機械の未払金も踏み倒された（蒋介石は窮状を訴える商工人たちの声を無視したという）。

> 共産系のこうした遣り口は、結局彼等の破滅の因となり、武漢から追われて農村の山奥に引き籠るに至った。都市革命が無残に失敗し、却って農村で成功したのは、農村では全く支那の実情に合する方法を採ったのと、彼等の拠った環境が良かったからである。（同前）

ここでいう、共産党にふさわしい「環境」とは、農民が最も苦境にあった湖南・江西の地を共産党が選んだことだと長野は指摘する。これらの貧しい農村地域で共産党は、小作料廃止、高利貸付除去、重税撤廃、また、女性の結婚の障害となる高額な結納金の除去などの、民衆に即した政策を取った。このことを長野は高く評価し、都市部で失敗した共産主義運動が農村部で成功する可能性を予見している。ここで長野は、有能な指導者として、もちろん毛沢東の名前を挙げている。

長野は一方で、蒋介石の北伐による軍閥打倒と、その後の近代的改革を正当に評価している。北伐の時期における国民党の軍隊は、軍閥の私兵とは全く異なり、使命感や国家意識を持ち、民衆からも一定の敬意を受けていた。

北伐後の中国を統一した中華民国南京政府は、確かに蒋介石とその一派による独裁体制ではあったが、関税自主権の回復、そして金融機関と紙幣の統一による国家経済の安定化、交通機関の整備、軍閥の私兵から国軍の成立などへの改革が成し遂げられた。共産党に対する追討も、完全なものではなかったが、ある程度、抑え込むことに成功した。

しかし、蒋介石と国民党革命が目指した中華民国建国への意志は、抗日・反日ナショナリズムと不可分のものだった。その抗日意識を扇動してきた英米、そして最大限に利用してきた中国共産党の存在によって、蒋介石の権力掌握と国家建設が進むほど、抗日意識は逆に拡大していく。その行き着く先が、日中戦争に向かう、支那事変の勃発であった。

長野はこの支那事変についても、まさにジャーナリストとしての視点から、個々の事例や情勢論にとらわれず、全く新しい事態が中国で起きていることを率直に認め、その本質を見極めようとしている。

まず、長野は事変前の中国を訪問し、かつて経験したことのないほどの抗日意識が民衆レベルで存在するのを見た。例えば山西では、共産軍が「抗日救国」を訴えるだけで、防衛軍が動揺して敗北している。ある支那人は「今日北支那には親日はなくなり、有るのは反日と媚日である」「吾人に残された問題は、何時日本と戦うかということだけである」とまで語った。

日本の旅行者は敵性国民、スパイ扱いされて自由な行動も出来ない、南京政府の役人で日本人と結婚している者の中には、離別せざるを得ないものも少なくない。親日派と見なされた有力者に対するテロも生じており、抗日のためにはソ連との連携も辞さずという姿勢が、蒋介石政府内にも起こっていた。

特に長野は、一九三六年十一月に、独立を求める徳王とモンゴル軍が、日本軍の支援を受けて綏遠《すいえん》省へ侵入した「綏遠事件」の影響を重視している。これによって全国的な抗日宣伝が行われ、町から村までが抗日一色となった。その後、張学良が蒋介石を監禁する西安事件が同年十二月に発生、その後は第二次国共合作と抗日に、国民党は方針を変えることになる（これについては第四章で再説する）。

また、この時期に至る約一年間、中国政府は国策映画によって、我が国は領土も広く、外国の支援もあるので、必ず日本に勝利するという宣伝を、絶え間なく行っていたと長野は指摘している。

長野にとって、支那事変は起こるべくして起きたのだった。そして、この事変における全く新しい事態を、長野は「民族戦」という言葉を用いて説明した。

まず、中国軍や民衆の姿勢が、これまでとは全く違っている。かつては、一度敗北すれば軍隊はたちまち崩壊し、また司令官たちの切り崩しも、利益をちらつかせれば容易だったのに、現在はどんなに日本軍に敗北しても、陣容を立て直して抵抗を続けてくる。

蒋介石が重慶まで敗走しているのに、抗日意識は下がっていない。長野は、日中戦争勃発以後、抗日を軸として一定の国家意識が中国に生み出されており、軍や民衆が一体となった「民族戦」（この言葉に長野は様々な意味を込めている）が始まっている事態を過小評価すべきではないと訴えている。

> 支那は個人の力で動かず、抗日という大きな流れによって動き、人々はただこの流れに沿うて進むのみで、この流れに逆《さから》っては何んにも出来ない。
> 蒋介石もこの大きな波の上に乗っているだけである。（中略）蒋介石は虎に乗っている。

下りれば喰い殺される。騎って居れば何処に行くか分らぬが、下りる訳には行かず、運命のままに虎の背にしがみ付いている外はない。それが蒋介石の境遇である。（中略）蒋介石が個人として日本に対し、どんな考えを有《も》っているかということは、問題にならない。（同前）

これは、状況が大きく動く中では常に生じる事態であって、長野はこの事態を招いたのは日本側にも誤りがあったからだと示唆している。いわゆる「蒋介石を相手にせず」声明が日本から発せられる前は、中国政府内部にも和平派、主戦派、中間派が存在したが、声明以後は中間派が主戦派に移り、和平派はほとんど力を失った。

長野は、汪精衛の重慶脱出と日本との和解姿勢を、政治的にはほとんど評価していない。蒋介石は逆に、汪精衛の言動を利用して英米からの借款や支援を引き出し、重慶内部は主戦派一色となった。ただし、長野は抗戦派の中にも、若い世代の過激な抗日論者、そして欧米・ソ連の影響下にあるもの、本来は日本との連携を望んでいるものという三つの勢力があると指摘し、その違いを日本は見失ってはならないと警告している。

特に第二の欧米・ソ連の影響に対する長野の次の言葉は印象深い。

或る支那の要人が、事変の初め頃に言った。「もし英国大使が蒋介石に向い、蒋介石君戦争は止めたらどうか」と、一口言ったら、恐らく蒋介石は戦争を止めただろうと、それ位支那人は列国の態度に左右さるる。又某要人は同じ時に言った。「日本が支那とやるなら、先ず英国に対する態度を定めねばならぬ。英国はああした利害に敏な国だから、話の具合では妥協するかも知れぬ。英国との妥協が出来れば支那は戦争出来ない。もし英国との妥協が出来ねば、支那を放って置いて先ず日本は英国と戦うべきである」と。〔同前〕

本書は戦時下の昭和十七年に出版された本であり、その時点での加筆はもちろんあるとしても、中国人の言葉を借りつつ、長野朗の基本的な世界戦略をよく表した言葉であると思う。何よりも重要なのは、対中戦争で勝利することではない。日本の外交戦略上、最も重要なのは、中国政府の支援国であり、中国をはじめアジア全域に巨大な利権を持つ、英国に対する外交である。そして、英国と中国の離間が不可能ならば、対決すべき相手は中国ではなく、アジアにおける最大の敵、英国である。その時、中国政府内の日本との連携を志向する勢力は、初めて勢力を持ちうる。それが可能であったかどうかは置いておいても、長野が日中戦争における真の敵を、蒋介石よりも、それを操る勢力に見ていたことは確実であろう。

しかし、現実に起きているのは日中戦争であり、その形態の一つに対して、長野は毛沢東同様「遊撃戦」という表現を使っている。

> 蒋介石が皇軍に対し、五年間も抵抗を続け得たというのは、一に遊撃戦のためである。軍隊だけで日本軍に敵し得ないことを知った蒋介石は、ここに民衆を動員し、武装し、戦線に参加せしめたのである。即ち軍隊の抗戦から、国民の抗戦にまで高揚したのである。〔同前〕

もちろん、遊撃戦、つまりゲリラ戦の主力は共産軍である。しかしそこには、農民自衛団、元国民軍の敗兵、土匪、また先述した紅槍会などまで参加している。山地に根拠を置き「敵進めば我退き、敵退けば我進み、敵駐《とどま》れば之を紊《みだ》す」という戦法の三原則によって、鉄道線路の破壊、小部隊への襲撃、民衆の日本軍への非協力の宣伝（同時に協力者へのテロ）などを行う。長野がこの遊撃戦を「日本軍が主として都市を占領し、彼等が主として農村に拠っている」状況下では効果的だと認め、かつ、共産軍が農村の自給自足を進めていることに注目しているのは、この戦術が中国の農民意識に一定の基盤を持っていることに注目したからだろう。敵の実力を、長野は決して見誤ってはいない。

長野は、日中両国の戦争の本質を「民族戦」と定義した。中国人、つまり漢民族の古来からの発展（それは他民族への侵略、同化の歴史でもある）と、日本の大陸発展とが、日清戦争、満州事変、そして日中戦争へと、ある意味必然的に発展しているのが今の事態であり、さらに、あらゆる列強がそれぞれの民族の利害のために干渉している。そこには単純な是非や正義・不正義だけでは割り切れない国際問題と、歴史的な運命が控えていることを、長野はよく理解していた。この『支那三十年』の最終章に書かれた次のような言葉には、常に冷静な分析と視点で事態を見つめようとした長野の心情と、祈りのようなものが現われているように読み取れる。

> この事変の解決も、この民族発展の根本にまで触れて来なければ、東亜の真の平和は期待出来ない。日支両民族は結局相共存しなければならぬ。それには双方が相手の独立と人格とを認め、支那も従来の利己的な民族侵略の態度を改め、和親共存の原則の下に日本と提携すべきである。〔同前〕

ほぼ同時期に書かれ、内容的にも重複する長野の著作『民族戦』を、いよいよ読む時が来たようである。

第四章　『民族戦』

政治や主義思想を超えた民族の本能

『民族戦』は一九四一（昭和十六）年五月に、柴山教育出版社から発行されている（これも呉PASS出版から復刊）。『支那三十年』『支那の真相』と重複する内容もかなりあるが、『三十年』がルポルタージュ、『真相』がある種の文化論と考えれば、本書は大東亜戦争下、この戦争の本質を明らかにするための、歴史的考察と国際政治における情勢分析の書としての側面が強い。

まず、本書冒頭の「国際現勢と民族戦」において、長野は現在進行中の第二次世界大戦における「全体主義対民主主義」といった政治体制の対立構図は、この戦争の本質とは関係ないと断言する。その理由として、そもそもドイツ、イタリアと同盟を結んではいるが、日本は全体主義でもなんでもないと言い切っているのが、なかなか痛快だ。

民族戦

ハンナ・アレントの全体主義論を持ち出すまでもなく、ヒトラーのような過激な人種イデオロギーとは無縁で、全体主義体制の象徴である政治犯収容所も存在しなかった当時の日本は、ナチスやスターリンのような全体主義体制とは言いがたい。そして、第二次世界大戦のみならず、戦争の原因を次のように論ずる長野の文章は、今日の私たちには過激に聞こえるかもしれないが、虚心坦懐に読むに値するものである。

> 然らば持たざる国と持つ国の争いであるか、之は確かに存在する。世界の土地及資源は全人類が之によって生活すべきものである。之を一、二の国が兼併独占して他に閉鎖する場合、多くの人口を擁し生活資源に乏しき国々は自国民の生活の安全を保せられないから、勢い少数の人口を以て広大なる土地資源を独占する国を破って其生活権を確保する外はない。英米の二国、殊に英国は世界各地に属領を有している。之に反して日独伊は持たざる国であるから、其生存のため何れにか活路を求めんとする。然るに持つ国は現状維持を有利とし、他の生存権を拒絶する。かかる共通心理にある英米が相結ぶに何の不思議もない。
>
> 長野朗『民族戦』

ここで長野が語っているのは、北一輝が「国家改造法案」等でも掲げた、資源や領土を持たざる国は、不当に広大な領土を保有する国に比べて不利な状況に置かれており、戦争という手段を行使してでも自らの国民のための生活圏を確保する必要と権利があるという考えである。これ自体も「論理的には」間違っているわけではない。現実に広大な植民地を有するいくつもの帝国が存在して既得権益を維持し、それに対して後発の近代国家が領土や資源を求めて戦いを挑むという構図、それ自体は「何の不思議もない」ことなのである。

現在の私たちにとってこの論理が異常に感じられるとしたら、それは、国家間の不均等という現実を戦争という手段で解決することは、あまりにも多くの犠牲を伴う、ということを思い知らされたからである。さらには、植民地支配が悪であり民族自決権は普遍的価値であるということが、少なくとも理論上は確認され、多くの植民地が独立を果たし（中国におけるチベットなど、いまだ解決していない問題は確かにあるが）、領土や資源を武力で獲得しなくても、科学技術や貿易でも経済発展や生活圏確保が可能になった時代に生きているからに他ならない。私たちが長野や北の論理を乗り越えたわけではなく、現実が変化しただけなのだ。

しかし、長野はさらにその先に議論を進める。持つ国と持たざる国の間に生ずる問題とは、究極的には経済格差の問題ではなく、「民族」対立の問題である。長野は、民族とは、土着した住民が、その地域の気候風土の影響を受けて同一の習俗を共有し、また同一の政治のもとにあって伝統を作り上げたものと定義している。ここまではシンプルだが、ほぼ問題のないものと言えよう。

さらに、長野は国家と民族の関係について、国内に多数の民族が含まれる場合は、必ず「之を一民族に錬成せんとする作用が起り、又一民族が幾つかの国に別れて居れば此等《これら》は相合せんとする作用を起す」と定義する。つまり、国内においては多数派の民族が他を同化し、他国に国内と同じ民族がいれば「相合わせ」つまり統合しようとする作用が働くという論理であり、これは、先の戦争肯定論よりも、実ははるかに危険な思想である。

長野の論理では、国家内の最大の人口や領土を持つ民族が他の民族を同化することが、基本的に正当化されてしまう。長野が、「アメリカ民族」という言葉や「支那民族」という、まるで現在の中国政府の「中華民族」という、中国国内に存在する各民族をすべて多数派の漢民族に統合しようとする論理と共通する用語を抵抗なく用いる理由はここにある。そして長野は、少数民族の自決権、独立の権利に対して、リアル・ポリティクス（現実政治）の論理から、これを冷厳に否定している。

> 小民族が徒らに多くの小国を造ることは、独立力の無い小供が多く存在するようなもので、徒らに強大国野心の的となり、世界禍乱の種子を播き、其国民の生存を不安に陥れるものである。然も国際の趨勢は次第に大国主義に向って進みつつある。〔同前〕

確かに、サラエボの一弾が世界大戦に繋がり、小国の主権がしばしば大国に踏みにじられた二〇世紀の現実を見れば、この長野の説もまた軽々しく否定はできないだろう。そして、本書

『民族戦』には、いわゆるアジア主義者に見られたような、植民地解放への情熱やアジア諸民族の連帯といった意識は、少なくとも表面的にはほとんど現れない（中国の苛烈な状況を直視し続けた長野は、大国の侵略を民族が阻止し、独立を保つことの難しさをよく知っていたのだろう）。

その上で長野は、時代を動かしているのは各民族の生存本能である、とする。そして、大国を占める各民族の生存権獲得の意志に基づく行動の衝突こそが、第二次世界大戦の、さらに言えば歴史上すべての戦争の本質だというのが長野の結論であり、各国の政治体制やイデオロギーなどは問題にならない。ドイツも、ソ連も、アメリカも、それぞれの民族国家の生存権のために、正しいと判断した行動をしているだけである。

> 民族の本能は自己民族の生存の安全と、その発展を希望して止まざるものである。これは民族の本能であるから、一切の政体や主義思想等を超越したもっと根本的なものである。之の民族発展の動きが、現時局の基礎として大きく流れている。（同前）

「本能」である以上、そこに道徳やイデオロギーは本質的に存在しない。たとえばソ連に対し、長野はスターリンの人格や、その共産主義思想に対してはさしたる関心を示さず、ソ連の欧州やアジアにおける領土拡張の野望は、基本的にロシア帝国のそれと変わらないと見なした。

> スターリンの最近の侵略行動を見ては共産主義夢想病者は唖然となったであろう。スターリンはレーニンの共産主義を民族主義に塗りかえたのだ。〔同前〕

これは全くその通りであって、当時、また戦後になってもスターリンを称賛していた一部左派よりも、長野ははるかに正確に事態を見ていた。同時に長野は、孫文らが中華民国建国直後、ソ連に対し過剰な期待を抱いたことにも軽く触れ、それが幻想だったことを指摘している。ただし、長野はロシア帝国とソ連との相違点を次のように述べている。

> しかしソ連邦になって、その東方侵略の様式は変って来た。それ以前のロシアの進出が、露骨なる武力征服によってなされたのと異って、ソ連邦のそれは表面を粉飾し、組織と武力と経済との巧妙なる配置によってなされたものである。〔同前〕

これは中国における、国民党、共産党双方に対するソ連の工作活動についての指摘だろう。また長野は、ソ連が、新疆と蒙古に対し侵略の手を伸ばしており、当時実際に新疆を支配していた軍閥の盛世才と、ウイグル人の独立運動の双方に強い影響力を持っていることを指摘している。

事実、一九四四年、一時的ではあったが東トルキスタン共和国が独立した際、ソ連の強い影響下にあるウイグル人共産主義者が活動している。モンゴルにおいても同様であり、当時すでにソ連の勢力下にあった外蒙古のみならず、南モンゴル（内モンゴル）にも、第二次世界大戦後、ソ連の連邦制共和国を理想とするモンゴル人共産主義者ウランフが送り込まれた。これは、東欧において第二次世界大戦後にソ連が次々と傀儡《かいらい》政権を立て、また北朝鮮には金日成を送り込んだのと同じ構図であり、「組織と武力」による、新たな侵略の一環であった。

当時のアメリカの、アジアへの覇権拡張について述べた以下の視点も、現代にまでつながるアメリカの偽善を、正確に指摘している。

門戸開放機会均等といい、正義人道といい、世界平和というも、すべて彼等の民族的本能を掩《おお》い隠すためのカモフラージに過ぎない。〔同前〕

由来アメリカ人の悪癖として、自分では米大陸或はフィリッピン等で勝手なことをしながら之を棚に上げ、他国の行動のみを非難する。〔同前〕

ただし、本書の約三分の一を占める長野のアメリカ論、ソ連論は、随所に卓見は見られても、長野の主観的な歴史解釈（アメリカは欧州から西進してきた移民による国家であり、その進行方向は民族の本能として西に向かう、といった考察など）にとどまっている。

本書の本質は、中国の「民族戦」についての論考であり、本章では、この部分に絞って本書を解説していくことにする。

「中華民族」の民族戦

まず長野は「数千年にわたる」古代から近代にいたる漢民族の発展史を「地に着いた極めて堅固なもの」として、次のような特徴を持つとしている。

> 第一に漢人が強大な民族と接触し、其侵入を防がんとする時には、対外防備のため兵力を備うる代りに、辺境に移民を行い、住民の障壁により之を防止すると共に、その土地を完全に漢人の居住地化する。例えばロシアの南進に対しシベリア境に移民し、又嘗《かつ》て日本に対し満洲の東境に盛んに移住民を送った。これは支那の伝統的政策である。〔同前〕

これは単に、国境地帯に中国人を移民させ、軍事的防衛の拠点にするだけではない。「支那の民族戦の立場から見れば、他民族がそこに移住定着するのを防げば」よいのだ。重要な地域がどの国の領土であろうと、その地に多数の漢民族が土着していれば、そこは事実上、中国の領土なのだ。ここに、国家と領土を不可分のものとは考えない中国の強さがあり、逆に、国境とは無関係に、漢民族が住んでいる所はすべて中国の領土であり、その地において漢民族が経済的に発展し、定着していけば、将来的には現実に中国領となるという自信を、漢民族は持っていると長野は考えている。

第二には漢人の領土侵略は、農業により一歩ずつ確実に其地歩を占めて行くことである。従て、其侵略戦には、必ず屯田及開墾を伴うた。（中略）屯田の主なる目的は、辺境に備うると共に、外征軍の糧秣を自給するにあった。（中略）

第三には、漢人の発展には第一に行商人が出発するが、それは之に続く軍の主力である歩兵に当る農民のため騎兵の役割を果すものである。商人によって土地を手に入れ、農民が行って之を耕作して土着する。〔同前〕

農民＝移民と、土地を購入する商人が、共に侵略の尖兵となる。この構図があるからこそ、中国人が住んでいる場所は、いつか中国領土となりかねない危険性を持つのだ。そして、領土と化したのちは、「屯田兵」は駐留軍となり、その所有地は軍事基地となる。

例えば現在ウイグルに存在する「新疆生産建設兵団」はその典型である。一九四九年、当時の「東トルキスタン共和国」を征服した中国軍は、この地域の治安と防衛、さらに言えば独立の意志を抑え込むために駐屯し、一九五四年に、単なる軍事施設ではなく、農場、牧場、工場等の経営を行う新疆生産建設兵団として再編成された。その後、文化大革命時期に一時解体されたとされるが、八〇年代以後、再び再編成および強化され、中国支配に抗議するウイグル人たちへの弾圧組織として機能してきた。

この兵団が、ウイグルにおける綿花の強制労働を行っていたとして、その関連製品を扱っていたユニクロが、二〇二一年一月、アメリカで輸入差し止めになった事例は記憶に新しい。これは、最悪の形で、兵・農・商が征服地において弾圧組織となった実例である。そして、現在のウイグル、チベット、モンゴルはいずれも中国による「植民地」だが、長野はこの侵略を「支那民族の西進」として、中華民国建国後に急速に進行したものと見なしている。

漢・満・蒙・回・蔵の五族共和を標榜した支那も、他の四弱小民族を侵蝕して、漸次漢人主義が頭を抬《もた》げて来た。清朝時代には各弱小民族の独立共存を認めて来たが、国民革命は明《あきらか》に「倒満興漢」で、打倒さるるのは満洲族だけでなく蒙、回、蔵も含まれているし興さるるのは漢人のみである。三百年間底流していた漢民族の伝統的な動きは、清朝の覆滅と共に一挙に奔騰して来たのである。孫文の唱えた三民主義の中の民族主義は、各民族の独立と自由を説いているが、之れは一個の看板以上の何物でもない。国民政府が十数年来行い来《きた》った所は、従来の支那歴史に現れた以上の露骨な漢民族中心主義であり、漢民族以外の民族を認めず、漢民族の一国家一民族から、之を国族と称《よ》んでいるではないか。（同前）

長野が、多数派の民族が一国内において少数民族を同化することは、自然の流れであると考えていたことは事実だが、中華民国の同化政策は、その基準から見ても強引なものと感じたのである。孫文の思想はその時期によって様々な変化を見せるが、中華民国建国以後の一九二〇年に書かれた以下の文章には「露骨な漢民族主義」が典型的に表れている（黄斌の論文「中国における近代ナショナリズムの受容とネーションの想像」より引用）。

　五族の人口を調査すると、西蔵人は四千五百万人に過ぎず、蒙古人は百万人に満たず、満人は僅かに数百万であり、回教徒は多数あるけれども、その大部分は漢人である。彼らの形勢はというと、満洲は日本人の勢力範囲にあり、蒙古は以前よりロシアの圏内にあり、西蔵は殆ど英国の嚢中のものとなっている。これによって、彼らはことごとく自衛能力を持たず、わが漢民族が彼らを幇助せねばならぬことがわかる。漢民族は従来四億といいつつも、この数に似合うだけの真に独立した漢族国家を組織していないのは、実に我ら漢民族の大きな恥辱である。このようであるから本党の民族主義はまだ成功していない。よって、本党は今後なお民族主義について努力を要し、満・蒙・回・蔵をわが漢民族に同化させて、一大民族主義国家を形成せねばならない。

黄斌「中国における近代ナショナリズムの受容とネーションの想像」

このような露骨な漢民族第一主義、他民族への強烈な同化主義が、その晩年には明確になっていた。列強の植民地支配への抵抗意識は理解できても、他民族の自決権を全く認めない姿勢は、かつて、満洲人の支配からの解放を呼号した、若き日の孫文自身を裏切るものであった。

さらに孫文は、以下のような上海中国国民党本部会議での演説（一九二〇年）で、現在の中国共産党も使用する「中華民族」という概念を打ち出すのである。

現在は五族共和と言いますが、実は「五族」という名詞はかなり不適当である。我が国に五族しかないというわけではないでしょう。私の考えでは、中国のあらゆる民族を一つの中華民族に融合し、しかも中華民族を非常に文明的な民族に改造するまで、民族主義の使命は完成しない。〔同前〕

あらゆる民族を一つの中華民族に融合する。この主張こそ、現在の中国共産党の理想であって、それにあらがい、民族のアイデンティティを守ろうとする人たちは、すべて弾圧、さらには抹殺の対象となるのだ。

チベット、ウイグル、南モンゴルに対する民族戦

漢民族の「西進」、つまり西部に向かう進出と衝突するのは「西蔵族」、つまりチベット人である。長野の慧眼は、チベットと中国の対立がすでに領土問題として起きていることを指摘し、現在のチベット問題にも直結する問題を先取りしている。

西蔵は西蔵民族の居住地たる青海及四川の辺境、雲南の一部をも含めんとするに対し、支那は地理的境界たる西蔵のみを認めんとする（中略）（この問題は本来、簡単には解決

できないもののはずだが、支那は）青海を省に編入し、四川の西辺なる西蔵族居住地に新《あらた》に西康省を設け、ここを漢人区域とし、西蔵族を全く地理的西蔵の境界内に押込めようとしている。〔同前〕

共産中国に飲み込まれた他民族の領土

この指摘は、「チベット」がどこまでの地域を意味するかについて、現在のチベット亡命政府と中国政府、それぞれの見解対立とほぼ同様である。本来のチベットは、中国支配下にて、以下の地域に分割されている。

①天祝チベット族自治県（一九五〇年 甘粛省併合、チベット名：パリ）、②甘南チベット族自治州（一九五三年 甘粛省併合、チベット名：カンロ）、③阿壩《アバ》チベット族自治州（一九五五年 四川省併合、チベット名：アバ）、④甘孜チベット族自治州（一九五七年 四川省併合、チベット名：カンゼ）、⑤木里チベット族自治県（一九五五年 雲南省併合、チベット名：ミリ）、⑥迪慶チベット族自治州（一九五七年 雲南省併合、チベット名：デチェ

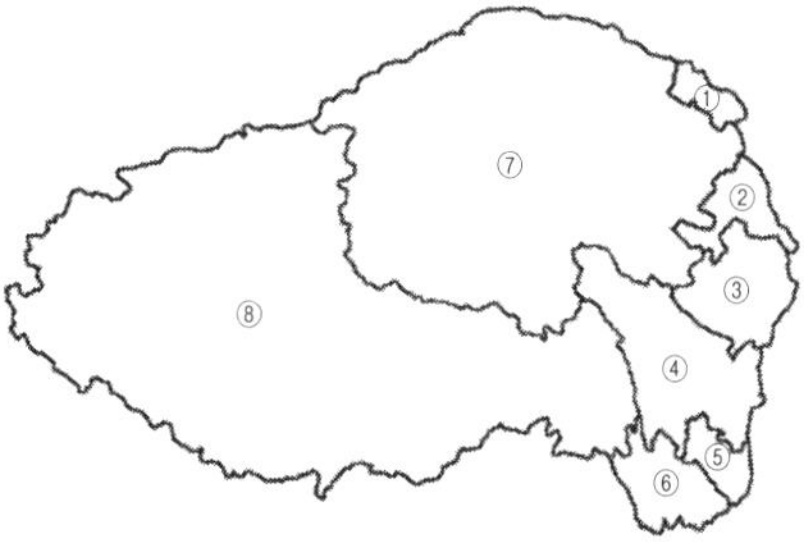

共産中国下のチベット（1949年以降）

①天祝チベット族自治県：1950年甘粛省併合
チベット名：パリ
②甘南チベット族自治州：1953年甘粛省併合
チベット名：カンロ
③阿壩チベット族自治州：1955年四川省併合
チベット名：アバ
④甘孜チベット族自治州：1957年四川省併合
チベット名：カンゼ
⑤木里チベット族自治県：1955年雲南省併合
チベット名：ミリ
⑥迪慶チベット族自治州：1957年雲南省併合
チベット名：デチェン
⑦青海省：1955年併合
チベット名：アムド
⑧チベット自治区：1965年併合
チベット名：ウ・ツァン

ン）、⑦青海省（一九五五年併合、チベット名：アムド）、⑧チベット自治区（一九六五年併合、チベット名：ウ・ツァン）。

つけ加えておけば、ダライ・ラマ法王が現在主張する「高度な自治」とは、この亡命政府の主張するすべての区域がチベットとして認められることが前提である。実際、チベット人の信仰の自由や民族自決を求める焼身抗議は、青海省など「チベット自治区」以外でも、しばしば発生しているのだ。

しかも、長野はチベットに対する漢民族の進出は、日中戦争により蒋介石が重慶に退却し、ここに政府を置いたことによって加速されたと見なしている。重慶政権は「その存立上西南各省を開発せざるを得ず」四川、青海、西康、雲南などの交通網を整備した。それによって、いまだ「漢人化未完成」だったこれらの地域も「完成」していくはずなのだ。チベット侵略はこの時点から、その種がまかれていたのかもしれない。

「西北方面」つまり「新疆すなわち昔の西域」においては、これまではせいぜい甘粛省までしか中国人も進出していなかったが、近年においては状況が異なるという。当時、新疆に定住していた漢民族は約四八万人（ウイグル人は二四〇万人）で、総人口の一二パーセントだが「回教国に之れだけの支那人が移住して来たということは驚くべきもの」であり、特に一九二九年から一九三二年の間には三万人が移住した。もっとも長野は、この地域はソ連の影響が強く「支那人の新疆に対する統治は、実質的には甚だ軽く」、今後も急速に伸びることは難しいと判断していた（だからこそ「東トルキスタン共和国」が、一九四四年、ソ連の支持のもと成立したのだ）。この状況が大きく変わるのは、むしろ第二次世界大戦以後である。

　しかし、漢民族によるチベットおよび新疆への進出、つまり民族戦は、この段階ではまだ「前哨戦」である。既に中国が勝利を得ているのは「（漢民族にとっての）北方蒙古地」つまり現在の南モンゴル（内モンゴル自治区）である。長野は、この地域に至る鉄道建設（京綏鉄道＝北京から蒙古を横断して包頭に至る）が建設され移住が容易になったこと、山西地方、河北山東方面の貧しい漢民族が新たな土地を求めて移動し始めたことなどを、南モンゴルへの大量移住の原因に挙げている。

> 民国前には清朝の施政により、蒙古人のために保存された牧場には漢人の入って開墾するを禁ぜられていたので、漢人の進出は阻止されていたが、民国になって之の禁が解かる

ると共に、鉄道が敷設されたので、ここに漢人の殺到となった。〔同前〕

この部分を、モンゴル人思想史家で現在は静岡大学教授の楊海英氏の言葉と対照してみる。以下の引用は、楊海英著『日本陸軍とモンゴル』（中公新書）による。

> 満洲人による王朝清の臣民だった中国人は、一九世紀末から万里の長城を越えて、モンゴル草原に侵入してきた。モンゴル人の同盟者だった満洲人はそれまで中国人の草原への入植を禁止していた。しかし、西欧列強の圧力に屈した清朝政府は莫大な賠償金を支払うことになり、収入を草原開墾による農耕地開拓に期待するように変わったからだ。
>
> 楊海英『日本陸軍とモンゴル』

「モンゴル草原に侵入した中国人は農耕を強引に推し進めた。現地の生態学的環境を一切無視して犂《すき》を大地に入れて切り拓く。」だがモンゴル草原は、もともと降雨量が年間二〇〇ミリ以下で、開墾にそぐわず、砂漠化が進行した。「草原の劣化は住民の貧困をもたらす。」生活基盤が破壊されたモンゴル人と中国人との間には衝突が続いた。

楊氏によれば、一八九一年、「金丹道」と自称する中国人秘密結社が、「モンゴル人を殺して、その土地を奪い取ろう」と武装してモンゴル人を襲撃、数万人を虐殺するという事件が起きた。

私見だが、この金丹道の事件は、単なる狂信的カルト集団の犯罪というだけでは片づけられない。清朝末期に、西欧列強の軍事的侵略に清帝国が敗北した現実は、漢民族の伝統的価値観だった華夷秩序に基づく世界観を大きく揺るがし、激しい精神的混乱をもたらした。その結果、自らの価値観を失いかけた人々の中で、逆に過激な中華思想と、他民族への憎悪を生み出し、少数派で異なる文化を持つモンゴル人への攻撃で晴らそうという病的な精神が生まれたのではないだろうか。いずれにせよ、長野の見たモンゴルに対する中国人の進出は、清朝末期にすでにジェノサイドと共に始まっていたのだ。

再び長野朗の『民族戦』より引用する。

> 元来蒙古人は牧畜を業とするから広大なる草地を要する。然るに支那人が来て開墾すれば、蒙古人は牧場を奪われ、草地を求めては次第に北方に退いた。(中略)僅かに北方不毛の地に牧場を保有し、ここに三、四〇万の蒙古人が余命を保っているに過ぎず、このまま放置すれば内蒙は遠からず全く漢人化する虞《おそ》れがあったのでここに徳王を中心とする内蒙自治運動が起ったが、その目的は全く内蒙人の生活権の擁護にあった。
>
> 長野朗『民族戦』

文中の徳王とは、チンギス・ハーンの血を引くとされるモンゴル人指導者で、一九二〇年代から民族自立のための活動を行っていたが、満洲国建国以後、日本と連携を求めるようになっていく。モンゴル民族を漢民族の侵略から守り、未来の独立を成し遂げるためには、それが最も正しい選択だと考えたからだ。徳王は一九三九年、蒙古聯合自治政府の主席となる。だが、その時点で、すでに同地におけるモンゴル人の人口は一五万人、それに比して中国人は五〇〇万人だった。徳王は何度か訪日、日本とのさらなる連携を模索したが、彼の目指す真のモンゴルの統一と独立は実現しないまま、大東亜戦争の終焉を迎え、その努力は水泡に帰した。しかし、徳王はモンゴル人の土地をモンゴル国として独立させるため、生涯を通じて戦い続けたことは事実である。

移民と流民による漢民族の満洲支配

そして、本書で長野が最も力点を置いて論じているのが、中国人の「東進」、つまり満洲への進出である。まず、古代から明、清までの歴史をたどりつつ、以下のように述べる。

> 満洲は従来定主なく、幾多民族の興亡が繰返された。（中略）一つの民族で長く満洲を保持したものはない。〔同前〕

しかし、歴史の皮肉というべきか、中国人の満洲支配を実現したのは、清帝国の長期支配と、その後の国際情勢の変化だった。

> 清朝が起るに及んで、満洲人はここに確乎たる根拠を占め、吉林奉天から更に黒龍江畔にまで其手を伸した。〔同前〕

しかし、逆に長期の安定政権下、満洲は清帝国の領土として、「中華帝国」の正規の領土として位置づけられていく。ただし、清帝国はその統治時代の大半において、基本的に漢民族の満洲移住を制限する政策を取った。しかし、清帝国後期における列強の行動が、この政策を完全に破壊した。

まずロシア帝国がシベリアを支配し、さらに満洲北部国境に迫ったことにより、清朝は国土防衛のためにも、また経済的な理由からも漢人の移住を認めざるを得なくなった。さらに、ロシアが軍事輸送などの目的で東支鉄道の建設に乗り出し、その敷設のために大量の漢人労働者が動員される。さらに完成した鉄道は大量の漢人流入を可能とした。

　東支鉄道が軍事上ロシアのためどれだけ役立ったか知らないが、経済上得る所少く、却て支那人のために施設した観がある。〔同前〕

　続いて、漢人の流入を助けたのは日露戦争である。「日露戦争の結果、東支鉄道南部線新京以南は日本の手に帰し」、日本はさらなる鉄道建設、鉱山の開発、工場建設などを進めたが、その結果「漢人の発展は益々助長」され、ロシア同様「日本が満洲の施設に投じた資金の大部分が支那人の手に落ちた」。これは、数字面で証明されるようなものではなく、長野自身が中国大陸の現実を見た実感から導き出されたものだろう。

　かくて南北満洲に於ける日露両国の満洲開発は、満洲に於ける支那人を富ましめ、之を土地に固定せしむるに至った。南満鉄道が始めて日本の手に帰した頃には、満鉄沿線の停車場に汽車が着くと、多くの乞食が集って乗客に物を乞うたのが、これ等の乞食が今では各停車場の周囲に立派な町を造り上げている。〔同前〕

そのほかにも、日本が満洲の治安維持に成功したことが、却って漢民族の流入とその後の定着を助け、北方軍閥の内戦、土匪の横行、また自然災害などが、すべて満洲への漢人流入を推進した。長野はその結果「満洲事変前にはすでに三千万を突破」していた漢民族人口は「昭和の初頃から、年々百万に近き大移住」に至り、現在（本書執筆時の大東亜戦争中）には、四千三百万人に至ったと指摘する。これは、自然の人口流入というだけではなく、満洲における「民族戦」の結果であり、移民、流民による漢民族の満洲支配の実現なのだ。長野はこの一連の経緯を「漢民族膨張運動の連続」と呼び、その本質を以下のようにまとめている。

一、古来行われた漢民族膨張運動の連続。

「漢民族が今日の大をなすに至ったのは（中略）漢民族の外部発展と、弱小民族の侵蝕同化作用の絶えざる努力の結果である。」

そして長野は、ある決定的な言葉を記す。少数民族を自己の中に誘拐し、漢人化するのは、漢人の「伝統的政策」である。「彼等は弱小民族の独立存在を認めない。」

二、支那民族の搾取本能

長野は中国軍閥の人民搾取を例に挙げた後、支配階級のみならず、民衆も同様だとする。

「商人は拙らぬ品物を蒙古人に高く売付け、其代償として蒙古人の毛皮を安く買落して暴利を貪り、地主は朝鮮人を苛刻なる条件の下に小作せしめて暴利を得る」

ここで長野が極端なまでに中国人の侵略性と搾取を強調するのは、もちろん満洲の現場においてその実態をつぶさに見たからだろう。しかし同時に、この満洲への漢人流入が、自然の流れであると共に、中華民国の国家政策であること、この二つはある意味で同じ「民族意識」に根差していることを証明する意思もあるように思われる。それは、続く記述を読めば明らかである。

「満洲の漢化運動は人民が自発的にやったのと、政府の指導とある。」人民の自発的運動とは、経済活動や新たな開墾地を求めての移民、また内戦や飢餓から逃れた流民の群れを指す。そして、「政府の指導」とは、中華民国の国民党政権が示した激しい「倒満興漢」の意志が、いつの間にか満洲征服政策に変貌したことを指す。長野は、孫文が中国歴代王朝の侵略政策を弁護どころか称賛していた文章を紹介し、「満洲族と東部蒙古族」が漢人の移住によって少数派となり、ついには抹殺されている現状を、くどいほど指摘する。

そして、実はロシアが最も恐れているのは、モンゴル北部国境まで漢人移民が達することである。その理由を、長野はこう推察した。

この長いシベリア国境線に沿うて、平和にして稀薄な遊牧民が去って、ロシアに反感を抱く多数の支那人が代って侵来することがあれば、これロシアに取って甚だしき危険である。〔同前〕

これは、スターリン没後の中ソ対立として的中し、一九六九年には、国境紛争から中ソ戦争勃発寸前までの緊張関係が生まれた。

なお、長野が本書で中国共産党の民族政策を紹介していることについても触れておこう。

国民党と合作した共産党の対満策は、一九二二年五月の共産党第二次全国大会の宣言中に次の如く現われている。

一　支那本部（東三省を含む）を統一して真正の民主共和国とす。

二　蒙古、西蔵、回疆三部の自治を実行して民主自治邦とす。

三　自由連邦制を採用し、支那本部、蒙古、西蔵、回疆を統一して中華連邦共和国を建設す。〔同前〕

この長野の引用は正確であり、当初、中国共産党は、各民族の自治権を認めた上での、ソ連風の連邦国家を目指すことを、少なくとも文章上は宣言していた。長野もこの声明を「露骨にロシアの政策を現し」たものと見なしている。

長野はこの問題にこれ以上触れてはいないが、実はモンゴル人やチベット人の共産主義者の中には、中国共産党は国民党とは違い、自分たちの民族自治権を認めるのではないかと期待し、共産党に協力、連携する指導者や理論家も多く存在したのである。彼らはその後、ほぼすべてが期待を裏切られ、抹殺されていった。

長野はこの共産党の民族政策に対しては、基本的にソ連からの影響にすぎず、最終的には、漢民族による多民族支配を目指すという本質において、国民党と同様のものと考えていたようだ。表層の政治思想は違っても、漢民族の本質的な欲望や目的は同一だと見なす長野の観点は、この点では正しかったと言うべきだろう。

満洲における漢人の朝鮮人弾圧

長野が続いて指摘するのは、満洲における朝鮮人と漢人の関係である。

「朝鮮人の最も多く居住するのは間島及琿春地方」で、中国人所有の未開拓の地を開墾して農作業に従事する者が多いが、高利の貸付に苦しみ、かつ、間島の外部では土地所有が認められず、様々な差別や迫害を受けていた。

鮮漢民族の接触はここに支那人の朝鮮人圧迫となり、昭和二、三年頃殊に甚だしかったが、其余燼《よじん》は満洲事変まで続いた。〔同前〕

この現象は、潜在的に漢人に存在する朝鮮人排斥の意識、日本の満蒙政策、内戦とそこから生まれた漢人移民の激増、様々な利害関係の衝突などによって生じた。そこには政治的原因と経済的原因とがある。政治的原因とは、漢民族が日本を恐れるあまり、当時は「日本国民」であった朝鮮人移民に対し警戒を強めたことであり、経済的要因とは、朝鮮人移民が水田開発を推進したことで、これは農地よりはるかに収益を上げたため、現地住民との経済的な対立が生まれたのだ。

朝鮮人に対しては同化政策と圧迫政策の双方が行われた。同化政策とは、言語、文字を漢人化すること、漢人の姓名を名乗らせること、服装（朝鮮人が白衣を着ることを禁ずるなど）、住居、習慣などを「漢化」させることである。まるで、現在日本が「朝鮮統治時代の同化政策」として批判されているかのような内容が、当時の中国によって行われていたことに驚かされるが、さらに重要なのは、圧迫政策である。

朝鮮人の居住を圧迫し或は退去を命じ土地の賃借を困難にし、その収穫せる農作物の自由販売を制限し、朝鮮人小学校を閉鎖する等、種々の方法を採用した。〔同前〕

こうした、事実上の民族弾圧政策が、すでに中国官僚によって昭和二年の段階で行われていたのである。そして、官僚が朝鮮人移民を迫害すれば、今度は民衆もまたそれにならい、数的弱者である朝鮮人移民を搾取する。

朝鮮人移民が満洲の大地で開墾を始めるとき、多くは資金もないため、まず開墾期間の食料や耕作のための牛馬を中国人に借りようとすると、厳しい高利の貸付を行う（返せなくて妻子を奴隷に売られた例もあったという）。具体的な搾取は次のようなものである。

水田に従事している朝鮮人は、小作料として収穫の七割を取られ、自分の手には三割しか残らぬ。その僅な米を売るのに、支那人地主は朝鮮人小作人の直接に売却するを許さず必ず地主の手を経て売却させるから、そこで又三割位のコンミッションを取られ（中略）水田でも少し巧く行ったかと思うと、支那人の妨害で水の供給を止められたりして、耕作

が出来なくなり、開墾が出来上った頃には取上げられ、他に未墾地を捜さねばならなくなる。〔同前〕

要するに、開墾と労働だけさせられて利益は吸い上げられ、時にはその土地すらも奪われていくのだ。長野はあまり触れていないが、この朝鮮人への弾圧、圧迫には中国共産党の存在も大きく影響している。一九三〇年当時の東亜経済調査局の記録によれば、間島に住む朝鮮人に対し「共産匪」による一七四回の暴行事件が起きた。これによる殺害の被害者は五九名。そして、中国軍による暴行事件は三〇件、殺害の被害者は七六名。中国官警が不当に罰金を強要し、不法検挙した数は、なんと被害者二千人という数字が上がっている（東亜経済調査局『間島問題の経緯』一九三一年）。

このような状況について、戦前・戦中の新聞報道など、多くの資料を緻密に整理して、この時期の満洲の動向を生き生きと再現した著書『日本はいかにして中国との戦争に引きずり込まれたか』（田中秀雄著、草思社）は、このように記している。

一九三〇年四月十九日、間島の日本警察分署が中国人集団に襲われ、警察官六名が暴行されて負傷した。分署は行方不明になり捜索願の出ていた朝鮮人女郎を発見して保護していた。彼女は中国軍人の妾にさせられていた。中国側はこれを取り返しに来たのだ。
前年秋から間島では、朝鮮人私立学校の強制封鎖、校舎や財産の没収、朝鮮人農民金融機関の破壊など、積算すると二百二十件あまりの迫害行為が頻発していた。

田中秀雄『日本はいかにして中国との戦争に引きずり込まれたか』

この年の五月三〇日、間島で朝鮮人共産党員の暴動が発生。爆弾、放火、日本領事分館への襲撃などが起きた大事件だったが、中国側の官憲はほとんど動こうとしなかった。八月一日には、朝鮮人農民が共産主義者によって殺害される事件が起こった。一〇月には再び間島で小学校や民家が放火され、二〇数名の朝鮮農民が亡くなった。これらはいずれも「朝鮮共産主義者」の仕業《しわざ》とされたが、張学良配下の兵士や官憲が無頼漢に襲撃させ、共産主義者のテロと偽っているのではないかという声も上がった。

そして一九三一年に起きたのが、万宝山事件である。一九三一年四月、長春の北約二〇キロにある万宝山にて、中国人地主から土地を借りて水田耕作をしていた朝鮮人農民が、すでに用水路工事も順調に進み、灌漑水路を作り、種まきを始めたというのに、突然地元の公安委員会から立ち退きを迫られた。彼らは抗議すると共に、日本領事館に保護を求めて来たのだ。

この朝鮮人農民たちは、前年の間島での暴動以後、この地域に安全な生活の場を求めて移住して来たものが多かった。日本領事館も了解し、農民たちに工事や農作業を続けるように告げた。だが、暴力的な妨害行為が行われた。小規模な衝突や水路の破壊が中国人側によって繰り返され、七月一日には、約四〇〇人の中国人農民が用水路を徹底的に破壊した。日本側の警察は朝鮮人の暴発を抑えると共に、これ以上の破壊行為をやめさせるため、警察官を増派、双方の暴力的衝突をなんとか抑え、死傷者の出ることを防ぎきった。しかし同時期、朝鮮半島の京城では、怒り狂った朝鮮人による中国人への襲撃事件が起きてしまう。中国側は、これを「中国人大虐殺事件」として日本に抗議したが、その背景には、こうした満洲における朝鮮人迫害の実態があったのである（北京近郊の通州で日本人居留民が大量虐殺された一九三七年の通州事件においても、当時は日本国民であった朝鮮人が多く犠牲になっている）。

昭和維新運動にも参加し、二・二六事件への関与も疑われた青年将校、末松太平は、回顧録『私の昭和史』の中で、次のような印象的なエピソードを述べている。

かつて満洲に彼の部隊が居留民保護のために出征したとき、居留民たちの態度は冷淡であり、満鉄が仕立てた列車もひどいものだった。兵士たちは、もうこんな居留民たちのためなら来たくはないなどと、公然と列車内で不満を述べていた。しかし、ある田舎の駅に停車したとき、そこには朝鮮人の児童たちが並び、兵士たちのために、女性教師の先導で日本の歌を歌い、最後には朝鮮の踊りを踊ってくれた。これが、兵士たちにとって、たった一つの心のこもった歓迎だった。兵士たちは口々に、「お前たちのためなら、何度でも来るよ」と声をかけていたという。

満洲での民族戦に敗れた日本

長野は、この満洲における「民族戦」に、日本は現在、敗れつつあるという認識を抱いていた。満洲における日本住民は、昭和五年の段階では約二二万、満洲事変以後の昭和一一年には五三万人と増加している。だが、日本人住民は主として交通関係や商工業関係であり、満鉄沿線の「細い帯のような地帯」に生活し、その大部分は満鉄と何らかの関係を持つ職業についていた。

「以上のような発展形式を取っていたため、日本人は先ず経済戦に敗れた。」労働者としては、生活レベルは低く、しかも体力旺盛な漢民族に対抗できず、商業では「小売商人として支那人は独特の才能を有し、生活程度が低く品物も日本商人より数割安く売れる」。そのうち、小売りばかりではなく、日本からの輸入商品も中国人が直接販売するようになり、日本人商人は、満洲にいるにもかかわらず、ほとんど日本人ばかりを取引相手にしていた。

そして、満洲鉄道それ自体も、これは中国側の政治的圧力により、その発展が阻止された。この問題については、長野の指摘を多少詳しく引用する。

> 先ず政治的には張作霖父子が（中略）軍費誅求のため不当課税をなし、不換紙幣を濫発し、経済界を攪乱した（中略）（そのため）邦人の唯一の活路たる企業貿易は妨害された。〔同前〕

> さらに銀行業、紡績、倉庫、工業、あらゆるところで正当な企業活動に妨害が行われた。
>
> 満鉄を周囲からジリジリ攻めつけて、満鉄を骨抜きにしようとした。（中略）満鉄の両側に平行線を設けて満鉄を包囲し、満鉄に流るる貨物を奪い去ろうとし、その出口として胡蘆島の築港を企て、満鉄側との運賃競争を行い、又日本側の鉄道利権の回収を企つる等種々の手段を講じた。〔同前〕

ここの部分を再び、前出の田中秀雄の著作で確認してみる。当時、満洲では「奉天票」という通貨が使われていたが、一九二八年の年明けの段階で、百円に対し約千五百元であったものが、月末には四千五百元に暴落していた。これは張作霖の私利私欲に走る経済運営に問題があった。張は、自ら刷る奉天票で満洲の大豆やコーリャンなどを買い占め、品薄になったところで販売して儲けるような不正な方法で暴利を貪っており、乱発された奉天票は貨幣としての信用を失い、民衆は疲弊して倒産は増えるばかりだった。

また一九二六年一〇月、張作霖は打虎山と通遼を結ぶ鉄道、打通線を建設したが、これは満鉄に平行する線路であり、条約上、認められないものだった。一九〇五年調印の「満洲に関する日清条約」にて、「清国政府は満鉄の利益を害する平行線を建設しない」という決定が会議録に明記されていたのだが、張作霖はそれを完全に無視したのである。同時に、日本の借款で作られた車両を無断で移動させ、勝手に流用して使い始めた。張はその後も、日本側との契約を次々に破って鉄道開発を続け、事実上満鉄を包囲し、交通網を一手に握ることで、北満の鉱物資源、農産物、材木を独占しようと考えた。（『日本はいかにして中国との戦争に引きずり込まれたか』より）

支那事変から満洲建国に至る歴史の背景には、このような状況があった。日本を一方的に侵略者と見なす従来の歴史観の不当性、そして、それに比して満洲の現実を見てきた長野の視点がかなり正確であることは、繰り返すまでもない。だが、長野は満洲事変を決して成功とは考えていなかった。それはむしろ、民族戦の論理から言えば、漢民族に有利に働いた一面もあったからである。

> 満洲事変が起り、形勢は一変したのであるが、之を民族戦の立場から見れば、満洲の鉄道は実権が我国に帰し、企業も種々興り、営業居住の自由は獲得されたが、満洲に定着せる支那人の農業と商工業と労働者とは依然として動かないだけではなく、人口の上からも産業の上からも益々発展しつつあり、漢民族の実力は増加した。
>
> 長野朗『民族戦』

長野は、現在満洲に土着している漢民族四千万人は、やがて五千万人にも六千万人にもなると予測した。事変と満洲建国以後、一定の安定と秩序を見ている満洲は、確かに発展を遂げているかもしれない。しかし「支那は領土的に満洲を失いながら、民族的には満洲に大々的発展を遂げつつある」のが実態ではないか。また、満洲は日本が考えているような五族協和の地でもなければ日本の統治下にある国でもなく、結局は漢民族が実質支配し、民族戦において満洲で勝利するのは中国側ではないか、というのが長野の予測だった。そして、現実の日中戦争に対しても、長野の視点は決して楽観的ではなかった。

今も続く反日教育のルーツ

長野は現在継続中の日中戦争について、日本軍が勝利しているように見えている現状を、他の著作でも述べているように、決して楽観的にとらえてはいない。特に長野が蒋介石と国民党の宣伝工作を評価しているのは、中国の全国民を抗日に駆り立てることに成功した点である。長野は、大正時代の抗日・排日運動は一過性の表層なものだったかもしれないが、一九三五（昭和十）年ごろからの運動は、国民党と共産党両党により、国家の政策として組織化され、特に若い世代への徹底的な反日宣伝教育が、今後長期的なレベルで民衆全体の心理に影響を与えていく、この成果を日本側は決して侮《あなど》ってはいけないと再三、指摘している。

その一例として、一九一九（大正八）年における中国の小学校教科書の一文が引用されている（原文はカタカナ書き。カッコ内は筆者三浦が現代語に訳したもの）。

日本は島国なり、明治維新以来国勢驟《にわ》かに盛んとなり、我が琉球を県とし、我が台湾を割き、我が旅順大連を租し、朝鮮を併呑し、奉天・吉林に殖民し、航業商務を我国各地に拡張せり。膠州湾は重要の軍港なり、昔独逸《ドイツ》に租せらる、日本は欧戦に乗じて之を奪い、旋《めぐっ》て復《ま》た我に向て権利を強索す。（このような日本の侵略に対し、いまだ我が国、つまり中国の国力が弱いからと言って認めてしまえば）日本は弾丸の国を以て、朝野上下力を併せて経営し（我が国に隙あらば狙ってくるであろう）。願くは国人自ら屈する勿れ。（同前）

ここでは琉球、つまり沖縄も「我が」中国の領土であったものが日本に奪い取られたと見なされ、第一次世界大戦中の山東出兵が、すでに日本の最新の侵略として教科書に記されている。日清、日露戦争の意味については、全く触れられていない。

長野は、日本商品のボイコットなどは実はたいした問題ではない、と述べる。

> 支那民衆に深く植え付けられた排日の感情は、子孫の代までも残り、将来に亘り日支民族戦の種子を播く重大なものである。〔同前〕

この時点では、先ほどのような中国の教科書は国定教科書ではなく、各出版社が自由に編纂したため、売れ行きをよくするために各出版社が競って排日の記述を記載した。長野は、こうした教育を受けた児童たちが、一〇年後の今、確固たる抗日の戦士として立ちはだかっているということを直視すべきだと力説した。

実際、国民党は、小学生、児童に至るまで、児童劇や童謡までも駆使して、排日教育を叩きこんだ。

> （初等学校における）排日教材は凡ゆる機会を捉え、各種の科目に利用され、図書、手工、唱歌等にも及んでいる。排日記事の書き方も極めて巧妙で、物語や旅行談とし、或は寓話に仕組んだりしている。（中略）記事も倭寇時代から始めて今日に至っているので、その根底は深く、民族的反感が極度に盛られている。こうした教育が支那全国に亘り、組織的に長い間行われたため、排日感情は深く国民の間に入り、殊に女小供の中に深刻である。
>
> 　こうした隣邦和親の原則に反するような排他的教育を、政府自ら深く国民の中に刻み込んで行くことは、長く双方民族の共存を妨げ、将来に亘って善隣の望みを断たんとする深刻なる民族戦の準備工作と見る外なく、自己の辛辣なる民族侵略を棚に上げ、日本の侵略呼ばわりは一の口実に過ぎない。（同前）

　この、最後の部分は大変重要である。子供のころから国策として行われる排日教育の目的は、単なる目前の戦争勝利にとどまらず、「将来に亘って」日中が民族戦を続行し、どれだけ時間がかかろうとも最終的に中国が勝利するための長期的な戦争計画だと、長野は考えていたのだ。

　長野がこうした国民党の宣伝工作の成功例として引用するのが、以前にも触れた一九三六年の綏遠事件だ。徳王に率いられたモンゴル軍が、日本軍の許可も得て綏遠省へ侵入、撃退された事件である。日本政府は公的に対外中立の態度を示しており、現地で徳王を支持したのも一部の軍人に過ぎなかった。だがこの時、蒋介石と国民党は、これは日本による侵略であり、わが国土が奪われる、中国全体の滅亡につながるというキャンペーンを張った。「綏遠失われて西北なく、西北失われて支那なし」という象徴的なスローガンが掲げられ、全国的な支持が集まった。

> 綏遠問題は実に抗日に一大転換を与え、戦士は民族戦の英雄として全国民称賛の的となり、且つ日本に対する自信力を得たため、従来の受動的消極的態度から、一変して積極的となった〔同前〕

長野は国民党の排日、抗日宣伝の原点を「漢民族中心主義」に置いている。綏遠事件が中国人に与えた衝撃は、モンゴルをはじめ、各民族の独立（＝中国の解体）を日本が目指しているという、民族的恐怖感と無縁ではないはずだ。

ここで長野の指摘していることは、国民党を経て、現在の中国共産党、特に江沢民政権以来、現在の習近平政権まで一貫して当てはまる姿勢である。そして、現在欧米諸国をはじめとする、ウイグル、チベット、香港などの人権問題を指摘する声を、逆に外部からの侵略者の妄言として、漢民族の団結に利用しようとする姿勢も、また驚くほど一致している。その意味で「民族戦」はいまだ継続中なのだ。

この民族戦の、中国側からの「戦闘宣言」として、長野は一九三七（昭和十二）年の国民党三中全会決議における以下の部分に注目している。

吾人の終始一貫して変らない唯一の目的は、対内的には自立を求め、対外的には共存を求むることである。もし蒙《こうむ》る所の損害が忍耐の限度を超過した場合には、決然起って抗戦に転ずべし。しかもただこれ自衛の精神に発したもので、決して排外的の意味はない。（中略）仮に和平の希望が尚未だ完全に断絶しない時でも、吾人はもとより平等互恵と、領土主権の互尊の原則の下に、其和平の解決を行わんことを願うものである。〔同前〕

このあたりは、いかにも平和的な姿勢を述べているが、問題は次の点である。

匪偽をして其の依付する所を失わしめ、主権をして能く完整に至らしむれば、両国間懸案の未決の問題は、未だ完全に落着しなくても、和平の方法により紛糾を解決する可能性が、始めて其発端を示すのである。これは我国が挙国一致、最短期間内に其貫徹を期すべきものである。〔同前〕

長野は、ここで述べられている「匪偽をして其の依付する所を失わしめ」というのは、日本が支援している冀東・冀察政権を指し、明確に中国側が攻勢をかけてくることを意味すると読み解いた。そしてその工作対象となったのが、盧溝橋事件を起こした第二九軍である。この軍は、激しい抗日意識を持っていた軍閥、馬王祥系列の軍隊で、そこに共産党系の北京学生が盛んに宣伝工作を仕掛けていた。長野によれば「今度は支那の方で満洲事変の逆をやるのだ」と公言する者もいた。盧溝橋事件はこのような状況下で、ある意味、必然的に生じたのだった。

「民族戦と日本の覚悟」

本書『民族戦』の結論部「民族戦と日本の覚悟」は、日本、ロシア、アメリカ、そして中国それぞれの民族戦の特徴を、アメリカは「資本侵略」、ロシア＝ソ連は「領土侵略」、そして「支那民族の発展方式は民族侵略である」と定義している。

長野は本書において、民族戦、つまり各民族、各国家が膨張し、各地に勢力を広げようとすること、そのこと自体は善悪の基準で測るべきではなく、ある意味、民族の必然であると見なしてきた。さらに、個々の部分で同情を示すことはあっても、巨大な民族が少数の民族を同化し、征服することも必然であるとさえ考えている。

しかし、この最終部において長野は、その前提に立ちつつも、中国の「民族戦」には根本的な問題点があると結論付け、それは修正されるべきものであるということを明確に訴えている。ここは重要な点であり、この一文には長野の思想の本質がよく表れているので、できるだけ長野の文章をそのまま引用してみる。

> 第一には支那の民族発展は排他的独占的であって、民族帝国主義ともいうべきものであり（中略）自国を中華とし、支那民族を以て世界を征服せんとするから、他民族との共存を考えず、其周囲の各民族に対し、四千年間侵略と同化とを続けて来た。（中略）国民党は最も露骨にそれを現わしている。今回の事変に際しても、この支那民族の心理は到る所に現われ、支那人は之を民族戦と呼んでいる。親日派も反日派も、南方人も北方人も、之の漢民族意識に立つ時、彼等はすべて同じものであり（中略）之を別物と見るのは日本人の錯覚に過ぎない。〔同前〕

ここで長野は挙げていないが、私たちはさらに、「国民党も共産党も同じものである」という一言を付け加えても構わないだろう。

自民族の優秀さを誇ること自体は必ずしも悪とは言えまいが、ここで長野が言う「民族戦」は、抗日戦争以外にも、すでに中国国内の他民族に対して行われ、第二次世界大戦後も共産党政権下で継続している。この長野の文章を差別主義と見なせるのは、中国共産党＝実質的な漢民族独裁政権が現在も行っている他民族に対する侵略やジェノサイドが停止し、各民族の自決権が認められた時である。

> 第二は支那人の利己的観念である。支那人の唱うる不平等条約の撤廃も、表面の言葉に眩惑されてはならない。この中には二つの意味が含まれている。一つは支那の国家主権の独立であって（中略）当然のことであるが、もう一つは利権回収の運動であり、これは支那人の利己的観念から出たもので他国民と共存するのでなく、すべての利益を漢民族の手に独占せんとするものである。〔同前〕

長野はこの実例として、満洲において、張学良がいっさい日本との共存を求めず、満洲のすべての利権を独占しようとした例を挙げている。現在の私たちは、むしろ一帯一路政策における中国の経済侵略のありさまを想起すべきだろう。

> 第三には支那民族の進出が搾取的なことである。満蒙に於ても南洋に於ても、支那民族

の発展は多民族の搾取の上に行われ、他民族の生存を冒し、之を滅亡せしむるに至るものである。〔同前〕

ここで長野は、前述したモンゴルや、朝鮮人に対する搾取を挙げているが、現在の中国共産党がウイグル、チベット、モンゴルで行っているジェノサイド政策においてこそ実現していると言うべきだろう。単なる経済的搾取などではなく、征服された民族そのものが滅亡させられているのだ。

第四には支那民族の移住により廃頽気分を持ち込む。支那人の往く所、影の形に添う如く付き纏うているのは阿片と賭博と秘密結社の三つである。〔同前〕

阿片《アヘン》と賭博については解説は不要だろうが、長野がここで言う秘密結社とは、いわゆるマフィアのことである。長野はこれらの例を挙げた後に、以下のように結論付ける。

支那民族の発展が非共存的であり、搾取的である限り、之との協調は不可能で、支那民族の発展方式は全く修正さるべきである〔同前〕

さらに、長野は本書の最終部で、冒頭に述べていた、大国が小国を征服することは当然と見なし、少数派の民族の独立を国際秩序を混乱させるものとして軽んじていた論理を自ら否定している。これは多少唐突に感じるのだが、筆者は長野の本質はこちらにあったと確信している。大国が小国を、多数派の民族が少数派を征服、同化することが当然と考えていたのならば、そもそも各民族が侵略の危機に瀕している状況を、あそこまで先見的に見抜くことができたとは思えないのだ。

> 東亜に渦巻く民族戦にどう処して行くか、それには各民族の正しくない出方は匡《ただ》され、各民族の発展は正しいものにならねばならぬ。（中略）世界にも各種の民族がいて、各々独自の民族文化を発揚することにより、始めて人類は進歩発達を遂げて行くものである。従て大民族が小民族の存在を認めない利己的な行き方は良くない。各民族の競争は武力的、経済的、民族的侵略によって行わるべきものでなく、文化的に行わるべきものであり、各民族発展の衝突は利己を制し、共存的に調整さるべきである。〔同前〕

『民族戦』全書にわたって、各民族の衝突と戦争の必然性を説き、その和解などほとんど不可能であり、侵略と戦争が民族の本質であるかのような歴史と現実を描いてきた長野が、その結論部でこのような融和の精神を説いたことに、ほとんどの読者は奇異の念を抱くのではないかと思う。しかし、この文章は、素朴ではあるけれど、長野の著作の中でも、最も率直に心情があふれているものに思えてならない。

長野は続いて、大陸国である中国と海洋国家である日本の提携の必要性を説き、しかし、そのためには、ここで述べてきたような漢民族の利己的発展は調整され、日本もさらなる発展が必要だと説く。これを、日本の中国進出を正当化するものとだけ読むことはできまい。

長野は、自らが直面してきた、漢民族の最も悪しき面である中華思想が克服されるためには、日本が一定の力を持って中国に対峙するしかないと考えていた。しかし同時に、いかに日本が日中戦争の戦場で勝利を重ねようと、長野がある種の敬意すら抱いていた中国の民衆を征服することも、彼らを日本人に同化させることも、不可能であるということを認識していたのだ。

　東亜の真の平和と発展の上から、日本民族の大なる発展が必要となり、漢民族の利己的発展は調制を加えられねばならぬ。〔同前〕

『民族戦』の最終部に置かれたこの結論は、今もなお、ある種の課題として私たちの前にある。

日本が、現在の中国の悪しき「利己的発展」を制止するためには、わが日本の「大なる発展」が、軍事面のみならず、政治・外交方面においても、また思想面においても、絶対に必要なのだ。

第五章　昭和維新と長野朗

権藤成卿とその思想

長野朗は中国のことだけを論じ、研究していたわけではない。一九三〇年代の日本における昭和維新運動、農村救済運動に積極的に参加していることも、長野を論じる上で忘れてはならない。長野朗の思想と行動に最も大きな影響を与えたのは、五・一五事件にも思想的影響を与えたとされる権藤成卿だった。本章では、この権藤の思想を紹介しつつ、後半部で長野の、日本の状況についての改革論を論じていく。

権藤成卿

戦前の「右翼」とされる思想家・運動家の中で、大川周明、北一輝、宮崎滔天、内田良平といった人々は、現在も肯定的であれ批判的であれ、しばしば論考の対象となる。しかし、権藤成卿の場合、おそらくこれらの人物以上に、当時の維新運動に深い影響力を持っていたはずだが、研究書や評伝は決して多くはない。まとまった評伝と言えば、いまだに、一九七一年に発表された滝沢誠著『権藤成卿　その人と思想』（ぺりかん社から増補改訂版が発行）が、最も総括的なものであろう。

権藤成卿は一八六八（明治元）年に久留米市に生まれている。

若き日は、玄洋社系のアジア主義者として、日韓併合時に武田範之、内田良平らと奔走するが、権藤の思想が確立されるのは、大正時代に入ってからである。一九二〇（大正九）年に処女作『皇民自治本義』、二二年には『南淵書』、二六年に、おそらく権藤の思想の集大成となる代表作『自治民範』を発表した。前出の滝沢誠は、権藤思想の本質を次のように紹介している。

> 権藤の思想を端的に言えば、大正期の混乱した社会情勢に触発されて発生した社会思想で、明治維新の原点に立ち帰り、日本古来の伝統にもとづく「社稷国家」の実現を希求する社会思想である。
>
> 滝沢誠『権藤成卿 その人と思想』

身分制度を廃した「四民平等」が実現し、すべての国民が「国民教育」を受け「大日本帝国」国民となった明治時代は、確かに輝かしい近代化と国民意識高揚の時代だった。明治維新から日清・日露戦争の時期までは、この近代化と四民平等の価値観は、国民の多くに感動を持って受け止められ、初期ナショナリズムの発展を呼び起こした。

陸軍軍人石光《いしみつ》真清《まきよ》が書いた『城下の人』四部作に描かれた、日露戦争の場面における農民出身の兵士が「いい時代だった、この時代のためなら俺は喜んで死ぬ」と石光に語る言葉には、この時代の高揚感と一体感がよく表れている。石光真清は武士、この兵士は農民出身だった。江戸時代ならば、こうして対等に話すことなどできなかった。それが今、戦友として平等に語り合っている。兵士にとって、明治という時代と国家は、自分を国民の一人として受け入れ、己《おの》れに誇りを持たせてくれた、命を捧げるに値する対象だったのである。

　だが日露戦争の勝利後、近代的価値観、そして資本主義経済に支配されてゆく社会の中、次第に日本民衆は、それへの違和感を強くするようになった。資本主義経済、そして封建時代を脱した近代市民社会の「自由」は、江戸時代までは存在した共同体を解体し、個々人をバラバラの「市民」に再編成するものでもあったからである。そしてその市民社会とは、個々人の利益追求こそが最上の価値であり、露骨に言えば、経済的な成功不成功が人間の価値を決めてしまう空間だと民衆には感じられたのだ。さらに言えば、この社会においては、庶民の道徳や共同体の秩序よりも、法律や契約が優先とされる。これは庶民にとって、いかに「非人情」な行為であろうとも、法律に触れなければ全く許されるという、ある意味「非道な社会」の出現でもあったのだ。

　しかも、第一次世界大戦と戦争成金の出現、富の格差、エリート層の出現、東北に代表される農村の疲弊と飢餓といった状況の悪化は、ますます庶民の不満と疎外感を強め、それへの解決の方法を模索させた。ある者は共産主義革命へと向かい、またある者は「君側《くんそく》の奸《かん》」であるブルジョア政治家の支配を打破しようという維新革命の論理と行動に憧れていくようになった。そんな時代背景にあって、権藤成卿思想の特徴は、維新革命の目指すべき理想を「社稷国家」と定義したことにある。

> 社稷は国民衣食住の大源である。国民道徳の大源である。国民漸化の大源である。日本の典墳たる記紀に神祇を「アメツチノカミ」と訓せるは実に社稷の意にして、アメツチは天地、天地は自然である。其自然に生々化々無限の力がある、わが国の建国は悉く社稷を基礎として建立されたものである。殊に日本は、社稷の上に建設されたる国なれば、社稷を措いて其国は理解されぬ。民衆衣食住の進歩は、実に社稷の進歩である。衣食住の満足と安全は、直に民衆道徳の振興となり、民衆道徳の振興は、其国の整備となり、光輝となるものである。是れわが輩が社稷を措て国を認めぬ所以である。太始に於ける社稷の尊崇は民衆の自治に肇まり、其各種各色異同ある幾多の自治郷邑を一国して、国をなせる者なるを以て、民衆の自治を無視して国の経緯は立てられぬものである。〔同前〕

「社稷」という概念は本来、中国由来であり、古代中国においては、土地の神（社）と五穀の神（稷）を祀って豊穣を祈った。しかし、権藤の語る「社稷」には、そのような神秘的な古代信仰の要素はほとんどない。権藤はある意味、即物的なまでに「衣食住の満足と安全」を持って社稷、つまり民衆の共同体の目的とする。そして、その実現こそが国家の目的であって、民衆の共同体を無視した国家などは存在してはならないという。

そして、権藤はさらに「世界皆日本の版図に帰せば、日本の国家という観念は、不必要に帰するであろう。けれども社稷という観念は、取り除くことができぬ」と断定する。ここでは、前半の「日本の版図に帰せば」といった言葉にとらわれる必要はない。権藤は、国家、国境というものはあくまで「世界地図の区分」であって、いかようにも変化することがあるが、社稷という民衆の共同体は、国家体制がどうあれ存続し続けるのだと言っているだけである。

権藤にとって、人間は自由な市民として、あるいは、国家に帰属する国民として生きていくものではなかった。それらはいずれも抽象的な概念であり、人間は、あくまで今、自分が属している、村、郡、町といった、実態のある共同体の中でのみ幸福に生きられる存在と見なしたのだ。

「社稷」という日本古来の自治システム

権藤は、明治維新以後の近代化政策の根本的な過ちは、近代化を急ぐあまり、官僚体制と資本主義を無批判に日本に導入し、日本本来の社稷システムを崩壊させてしまったことにあると説いた。そこではエゴイズムがはびこり、社稷よりも個人が、また国家が重んじられることで、様々な弊害がもたらされた。権藤は近代化や経済発展を全否定したわけではないが、少なくとも、それは社稷共同体が維持された上でなされなければならなかった。

自治の主義に於ては、公私の利害は常に一致するのである。君民の共に重んずる所は社稷である。社稷を重んぜざる民は民でない。社稷を重んぜざる君は君でない。（中略）若し社稷を度外視して国民と利害を異にする一階級を設け、之れに特種の利益を与え、之れに特種の権利を附し、国民の或者をして其の特種の権力の下に隠れて、悪事非行をなすの便宜を得せしむるならば、其の特種の権力者は、之を国家と名づくるも、（中略）其利害は必ず国民と一致するを得ざるものとなるのである。〔同前〕

権藤にとって「社稷」という共同体は、国家の基本という以上に、それなくしては人間が生きられず、また国家も成り立ちえない存在だった。その共同体を重んじない権力者は権力者ではないと同時に、その共同体のルールを守らない民は民ではない。そして、この共同体はそれ自体で完結した公助のシステムを持ち、そこでは「公私の利害が常に一致する」ものなのだ。明治維新とその後の日本の近代化を、権藤は、資本主義と国家主義に偏し、民衆の共同体を破壊し、資本家、官僚、特権層を生み出すものとして批判した。

　権藤成卿の著作が、戦後、アナキスト系の黒色戦線社から復刊されたのは、彼の「社稷」が、国家権力を否定する東洋的アナーキズムとして評価されたからである。だが、これは思想史家の渡辺京二が正確に批判したように、読み手の誤解に基づくものだった。権藤はアナーキズムの考えるような、国家や共同体から自立した個人の自由といったものに価値を認める思想家ではない。明治維新以前、前近代社会では身分制度と共に維持されていた共同体の再興こそが必要だと考え、同時にその共同体を理念化、理想化することも避け、共同体の目的はあくまで個々人の衣食住、つまり生活の安定であるというリアリズムに徹したのだ。それは、ある意味、極めて実用主義的な思考でもあり、情熱的な憂国論や勤皇精神とも、実は無縁だったのである。

　滝沢誠は次のように、権藤の明治政府批判を要約している。

　権藤は、明治国家体制を〝プロシヤ式官治制度〟と呼び、わが国の伝統的な社稷体統の自治制度とまっこうから対立する概念としてとらえる。（中略）強力な超集権的官僚機構による明治絶対主義国家体制は、現実には「四民平等、大機公論」をスローガンとした明治維新の精神に反したものであった。在野の学者として日本社会史を専攻する権藤が、明治新政府の中央集権化が進行するにしたがって、農村に残存する社稷共同体の地縁共同体内部に行なわれていた民衆自治の良俗が破壊され、経済的にも明治日本の資本主義体制が確立されるにしたがって、農村の自治が中央に簒奪され、疲弊していく姿に心を痛めていたことは疑いない。〔同前〕

特に権藤が明治政府の悪政の一つと考えたのは、明治四年の地租改正だった。近代的改革としては当然のこの政策に対し、権藤は「社稷即ち地縁共同体にとって神聖なるべき土地が、資本主義的な何等の制限のない自由売買の対象と」なり、土地が単なる投機の対象や個人財産となって共同体の基盤が失われる悪政だと考えたのだ。

権藤は、この社稷の概念を歴史的に意味づけるために、その起源を、古代の大化の改新に求めた。大化の改新における南淵請安の思想と、それを実践した中大兄皇子、中臣鎌足の決起こそが、蘇我氏の専横によって破壊されかかった社稷自治を再建し、その理想を示したものだとし、その根拠として、権藤家に伝わる秘伝書『南淵書』にこのことが記されているとした。この論旨は、権藤の意図を超えて、当時の若き軍人たちに深い影響を与えた。

農村が疲弊し、財閥、官僚、政府が結託して特権をむさぼるかに見える時代状況の中、それへの変革思想を、西欧由来の革命思想ではなく、日本の歴史に根差した最も原理的な維新の精神として、権藤が示したと軍人たちは思った。かつ、そこに大化の改新という「君側の奸を除くクーデター」を正当化する論理を見いだしたのだろう。

昭和維新運動の最も優れた組織者の一人である海軍軍人、藤井斉《ひとし》は、権藤思想の熱烈な信奉者であり、彼は維新を求める様々な組織や個人を回って、ある種のオルグ活動を行った。藤井自身は上海事変で戦死し、権藤は彼を深く悼《いた》む言葉を残しているが、藤井の作り出した維新運動はその後、血盟団事件、そして五・一五事件として実現する。いずれも権藤は直接関係してはいないが、血盟団事件の際、権藤の弟子の一人だった綱島正興《せいこう》が述べた弁護論には、権藤の思想がよりわかりやすい形で表れている。

綱島は、「百姓の生活を保証する」ことが為政者の義務であり、それはまたわが国の伝統でもあるとする。しかし、農地を商品化し、農村の税祖を金納としたことによって、コメもまた資本主義の論理に取り込まれ、また食物も土地も投機の対象となってしまったことを批判する。かつては勤勉と安定の象徴だったはずの農村とその共同体は、今や「農業は一種の投機業」となり「生計に苦しみの青年子女は相次いで都会に去り、山村は光明」なく「風教は乱れ美徳は地を払って」いる。ここで綱島が、単なる経済的苦境や農村での「身売り」だけではなく、むしろ共同体の精神的崩壊を強調していることに注目したい。

綱島は、この根本的な原因を明治維新の「富国強兵」政策にまでさかのぼる。「わが国が西洋と平等なる兵力を有する為には先づ西洋の産業様式を執り入れ」たが、功を急いだあまり「順序を誤り、資本の蓄積がないのに資本の蓄積を前提とする中央兌換銀行を創立して金利高の因を作り、大産業様式を整えんとして特権を付与して市場を独占せしめ、不自然なる補助金を与えて官権と財閥の腐縁を結ばしめ、遂に中小工商業者を死地に陥れるに到らしめた」。

さらに綱島は、国家が本来保護すべき基幹事業（交通、電機など）の負担はなぜか民間に強いられ、本来補助の必要のない事業には規制が敷かれて既得権益が守られ、しかも補助金まで投ぜられて自由競争が阻害され、利権を生み出している、さらには、大蔵省幹部が退職後に大銀行の重役となり、民間企業経営者が政治家や大臣になるなどの利権構造や、天下りの現状を「官府の廊下は資本家の軒下に直通して」いると批判し、このような現状こそが、昭和維新運動や右翼テロの根源にあると指摘した。

しかし同時に、権藤本人は、これらの昭和維新運動に対し、例えば北一輝のような、軍事クーデターを通じて一気に政権を奪還し、国家改造を実現するといったプランは抱いていなかった。むしろ権藤は軍人主導のクーデターには否定的で、「今は動くべき時ではない」「一般民衆が漸次覚醒」するのを待て、といった言葉が、当時の権藤からは、しばしば発せられていたようである。

おそらく権藤はその思想的帰結として、クーデターよりも、まず現実の農村救済、そして農民の組織化による「社稷」の再建こそが、国家革新の基本でなければならないと考えたのだろう。第一次世界大戦の一時的な経済好況による工業の発展は、そのための労働力を必要とし、農村から多大な人口が都会に流入、逆に農村疲弊の状況を招いた。しかし、戦争終結と共にその好景気は後退、そこに関東大震災がさらに追い打ちをかけた。不況の波が農村を直撃し、農産物価格の低下は農村経済を破綻させる。このような状況下、権藤成卿の思想に共感し、現実の農村救済運動に実務面、組織面での活動を行っていた活動家の一人が長野朗だったのである。

『自治日本の建設』に書かれた理想の社会

一九二九年のアメリカにおける大恐慌の発生は、翌年の昭和恐慌を日本にもたらした。企業の倒産、失業率激増、物価暴落などの結果、農産物の価格は低下、農村の疲弊は深刻なものとなる。第一次大戦下の好景気が都市への人口流入をもたらしていたことも、これに拍車をかけた。大正時代から、農村救済を訴える運動は存在していたが、この年初めて全国組織として「日本村治派同盟」が結成された。

この段階で、長野朗はすでに運動に参加しているが、この運動は基本的に政治運動であると見なし、農民の側に立つ政治組織の結成を目標とするグループと、政治組織化は時期尚早とするグループの間で分裂が起き、早期に解体する。長野は前者に属し、一九三二年、新たに「自治農民協議会」を結成した。協議会は直ちに具体的な運動として「三箇条請願運動」を展開する。その内容は以下の三箇条である。

一、農家の負担を三か年据え置くこと
二、肥料資金として反当たり一円の補助を出すこと
三、満蒙移住費として五千万円の補助を出すこと

この署名運動は約三万人の署名を獲得、衆議院に提出され、各県の代表団が繰り返し国会に請願をかける中で衆議院を通過した。しかし、この内容では、やや具体性に欠けるということから、さらに新たな五箇条請願運動が展開される。

一、政治低利資金三か年措置、利子保証のこと
二、農民の生活圏を確保するよう強制執行法を改正すること
三、三億円の開墾事業を起こし、かつ開墾助成の範囲を広むること
四、適当なる移民教育を施し、海外移住助成金を一人あたり百円、内地移住助成金を一人あたり百円給付し、かつ帰農移住者には助成米一人あたり四斗を三年間支給すること

五、俸給を物価に平行せしめ、上下の懸隔を緩和するよう俸給旧令を改正すること

この新たな署名運動は、先の三箇条が一定の成功を得ていたため、報道機関も注目して報じ、四万を超える署名が集まった。権藤成卿や長野は、全国から集まった請願代表団を権藤の自宅など東京に滞在させ、衆議院議長と対面させて請願書を提出する。その後も長野は、一九三三年に「農民生活擁護」を訴えた運動を展開し、農村の救済と自治実現を呼びかけるが、最終的にはこの運動は、貴族院での支持を得られなかったことがネックとなり、具体的な法案実現に至らず、運動は衰退していく。ただ、戦前の大衆運動の中で、権藤の思想と長野らの実践は、最も社会的に拡大したものの一つであることは疑いを得ない。

長野朗が権藤から受け継いだ思想は、著書『自治日本の建設』に明確に表れている。まず長野は、一九三〇年代日本の情勢を、日本古来の精神を失い、本来守るべき社稷自治の制度を破壊したものだと批判し、以下のように「革正」しなければならないとした。

> （我が国の）革正のためには今日制度の弊根をなすものを除き去り、我が国古来の公則をこれに置き換えねばならぬ。即ち政治的には官治に換ふるに自治を以てし、経済的には営利に換うるに共存を以てし、精神的には虚偽に換うる純情を以てせねばならぬ。即ち新しき

日本は次の三つの原則により造らるべきものである。
一、経済界に於ける共存
二、政治界に於ける自治
三、精神界に於ける純情

長野朗『自治日本の建設』

この三つの原則は、長野によれば「わが建国の初めから」備わっていた価値観であった。権藤成卿が自家に伝わるとされる『南淵書』を引用して、大化の改新を日本の社稷自治の原則と位置付けたように、長野も古典を引用し、神武東征から大化の改新、そして、鎌倉時代まではこの伝統が守られていたと主張する。しかし、長野はさらに、この原則は日本古来の伝統にとどまらず、全世界に共通の「公理」であるとした。これは明らかに、長野の中国体験に根差したものである。さらに、この三原則の精神は、近代資本主義や植民地主義に中国をはじめアジア諸国が抵抗するためには、絶対に必要なものだという確信があったからに違いない。

長野はまず「経済組織の建設」として、農業を経済体制の根本に置くべきだとする。これは単なる農本主義ではなく、長野なりの農業「思想」に基づくものだ。

農業とは「天地自然の恩恵により、これに人力を加えて人生最も必要たる資料を生産するもの」であって、いっさいの（人間に対する）搾取を行わない産業である。かつ、農業は個人では行えず、基本的に「共同作業」によって成り立つものであるから、必然的に共同体を必要とする。この土地に根付いた生産者の共同体こそが、国家の基盤となるべきである。

長野は、権藤が政治の根本原理を、生活者の衣食住の充実に置いたのと同様、経済とは何よりも民衆の生存、生活の基盤を守るためのものであると考え、だからこそ、農業の重要性を説いた。

そして、長野は農村の疲弊は、都市における近代資本主義、つまり基本的に営利と搾取を原則とした経済体制によりもたらされていると見なした。その解決のためには、大都市を中心とした中央集権、それに寄生する官僚、さらに営利を至上目的とする資本主義の排除こそが必要であると考えた。都市偏重と官僚主義に対する激しい拒否感において、長野の思想は、毛沢東思想との共通性すら感じさせるものがある。

長野は「経済界における共存」で、ある種の平等思想を説く。経済とは、各人が生活上の要件である「衣食住および男女の要求」を充足させることが目的である。

この「男女の要求」とは、簡単に言えば、各人が結婚し家庭や子供を持てるだけの経済的安定と読み取ればいい。そして、すべての国民にこの要求を満足させるためには、要求そのものが「平均され、調整され」なければならない。そのためには利己主義は抑制され、特定の個人や集団が、本来すべての民衆のためにある社会の利益を独占することなどは許されない。これが長野の言う「共存」の意味である。

> 共存は他人の生活を害することなく、且つ自らも満足を得るものである。自ら満足を得るも、それが他の生活を害する如きものは許さるべきものではない。例えば高利貸の如き、或は世間の衛生や良俗を紊《みだ》るが如き職業或はかかるものの製造の如きこれである。又個人の行動が自ら益するため他人の生活を破る如きことも許さるべきものではない。例えば生活資源の独占により多くの人々を貧困に陥れ或は職を失わしむる如きことこれである。〔同前〕

そして長野は、この「経済における共存」は「均分」と「安定」が基本であるとする。均分とは「人々が同等な勤労に対して等しい報酬を得られ、又生産資源に対し同等の使用権を」得られることを指し、また、「安定」とは、全国民の生活基盤が保証されることである。このような文章を読むとき、権藤成卿の思想を、長野が彼なりに現実の経済問題と結びつけようとしていたことがうかがえる。

長野はこの社会の実現のためには、さらに「一切の搾取の排除」「生産資源私有独占の排除」が制度上必要だと考えた。

「搾取」について、長野は最低限の租税は国家運営のために当然としても、不必要な機関や巨大な官僚組織を作り上げ、「官吏が私利を」貪るために人民から税を徴求することは許されないとし、これを「誅求」と呼んで否定した。また、資本家と労働者、都市と農村、民族と他民族との間で行われる経済的搾取を「私的搾取」として、これも許してはならないとする。さらに具体的には、農業に限らず、産業組織全体を以下の三つの原則のもとで管理することが必要だと説いた。

一、産業組織に於ては営利的分子の介在を許さない。
二、産業の種類配合は人民の生活需要を充す如く定むること。
三、生産の分量は需要を顧慮して行わるべきこと。〔同前〕

これではほとんど共産主義と同じではないかという批判を前提に、長野は、自分の思想と、マルクスの共産主義との違いをこう述べている。

マルクスは一九世紀イギリスの都市労働者を研究対象としていたため、都市労働者が企業に搾取されている問題には深い考察をなし得たが、都市による農村の収奪、搾取という点には目が向いていない。マルクスを始め、労働者の階級闘争のみを強調する共産主義者たちは、ヨーロッパの産業革命自体が、農村や民衆の共同体を破壊し、搾取した上に成り立っていたことを看過していると長野は考えた。この発想は、近代的ロシアにおけるナロードニキに始まり社会革命党に至る、革命の目的を農村救済と土地分配に置いた勢力や、中国共産党内の李立山の都市革命路線に反対した毛沢東の農村革命論とも共通する。

さらにこの長野の批判は、前近代的なアジアの側からのマルクス主義への批判として、一定の歴史的な意義を持っている。長野は、ヨーロッパ近代の資本主義と植民地体制が、アジアの前近代的共同体を破壊し、資本主義や近代主義を押し付けたことに対する基本的な異議申し立てを行っており、また、そのヨーロッパ的価値観を無原則に前提としたマルクス主義に対する批判意識を提示しているのだ。

長野の資本主義批判、営利主義批判、官僚制度批判は、すべてこの近代化への批判意識から生まれている。同時に、長野は自分の主張が、単なる農本主義ではなく、古代日本における「農」の定義を引用しつつ、本質的な人間社会の在り方を説くものだと述べた。

> 農というのは今日人々が考えて居る単なる耕作者を意味するものでなく、農産物の加工、運搬、配給も皆農に含まれ、漁師も半農半漁であるから、今日のように各種の産業が発達して居ない時代では、農は生産大衆を意味したものである。農産物の加工、運搬、配給を

> 農としたのは、彼等は加工、運搬、配給の労力に対して報酬を得たのみで、決して（中略）剰余価値を獲得しなかったから、農の延長として其一部分と見られた。〔同前〕

長野によれば、農業とは単なる農地耕作と生産にとどまらず、それを中心とした社会を包括する産業構造をなすものであり、そこには近代資本主義とは違う、剰余価値なき経済システムが成立していた。そして長野はもう一つ、「自治」の概念の重要性を説く。

> 人は絶対に独立自主でなければならぬ。独立自主の民にして始めて人格があり進歩がある。従て経済的に人が人を搾取して生活することが不合理であるように、政治的には人が人を治むることは不合理である。そこで我国古来の政治は自治を本旨とした。自治は各人が自ら己れを治むることである。この自ら治むる独立人が相共同して生活を全うする。〔同前〕

しかし、現状では「人が人を治むる」官僚支配体制の中、「人民は全く活気を失って官吏のなすがままに働き、進歩なく改善なく、弊害を排除するの反発力を失って」おり、「官治のためには多数の官公吏を養って多くの公費を費し、ために人民の負担を重からしめ」「官治は奴隷政治であって人間の人格を認めない」ものになっているという。

ここには、長野の激しい官僚制度への批判がある。長野はこの見地から、農村においては住民すべてが「同等の発言権」を持ち、「村人が各々同等の資格で集って」「村のことを定めて行く」、ある種の直接民主制に近いシステムの必要性を説く。

また同時に、現実に農村に住んでいない「不在地主」、農村に寄生する高利貸、肥料商などの出入り業者の追放なども主張している。これらの制度を現実に実践するには、社会革命とその後の強権体制が必要だったと思われるが、少なくとも現場で搾取され、疲弊している農民に訴える力を持つ言説であったからこそ、請願署名運動は一定の成果を見たのである。

長野が現状打破のために打ち出した都市政策、労働政策は、正直、経済学的には幼稚なものだった。長野は都市による農村の搾取を防ぐために、都市と農村のある意味、完全な分離を「都市自治」の理念において主張し、今後、都市は「従来のような農村の搾取場に代り、国民共存のため各種産業自治体の物品配給調達の場所」であるべきと位置付けている。

長野は都市に対し、「政治都市」（つまり最低限の官僚機構と政治機構）及び「商業都市」（物品交換市場）の二つの役割しか認めようとせず、いわゆる都市文明、共同体から切り離された自由な空間としての都市に、ほとんど関心を示さなかった。長野の思想は、「自治」と「共存」という二つの価値観に根差すことによって近代に抗しようとしたが、共同体としての「自治」を離れた個人の自由に対しては、やはり関心の及ばないところがあった。これもまた、権藤成卿の思想と極めて共通する一面を見る。

権藤成卿は、前近代の農村自治、共同体の在り方を、近代以後の世界で再度復興しようとした。この思想に長野は、かつて中国の地で見た、官僚による管理や徴税を拒絶し、村落共同体の自給自治を原則とする中国民衆の精神と共通するものを感じとったのだろう。それはかつて長野が、孫文の三民主義の中に読み取った「民生」の思想でもあった。

実際の農村救済運動は、権藤の死以後、大きな発展を見ることなく終わる。近代化と資本主義経済による発展、そして共同体社会から市民社会、大衆社会へと向かう歴史の流れは、止めようのない必然として日本社会を覆っていたのである。それに対し、前近代の農村共同体社会の再興を以て対抗しようとした権藤成卿の思想には、やはり無理があったのだし、それゆえ長野らの実践行動も有効な効果を上げ得なかった。

しかし、日本の政治伝統を古代からの社稷共同体の理念と見なし、そこから明治以後の近代化を批判した権藤という思想家の言説は、中国では無残に失敗した革命への夢、民衆自治の理想郷への夢が、日本でこそ実現しうるのではないかという期待を長野に抱かせたのに違いない。

長野にとって権藤とは、自国の歴史への深い敬意と愛情を持ちながら、他民族への差別や排外主義とは無縁の、貧困民衆への温かい愛情と、同時に近代社会に対する民衆共同体側からの批判意識を備えた思想家としてうつった。このような人こそ、最も純粋な、日本における維新革命のために必要な指導者なのだ。

おそらく長野は権藤の中に、かつて三民主義の理想を唱えた孫文を超えて、はるかに純粋で理想主義的な、アジアの精神的指導者を見ていたに違いない。

第六章　アジアの怪奇・中国共産党

『アジアの怪奇 中共』を読む

大東亜戦争中の長野朗の言動については「戦時下の長野朗についての一考察」という興味深い論文が、新潟大学発行の『東アジア―歴史と文化―』第十号（二〇〇一年三月）に掲載されている。著者は劉家鑫氏で、他にもいくつかの長野朗論を発表しているが、個人的には、この論考を最も興味深く読んだ。

劉は、陸軍大将真崎甚三郎の日記を参照し、長野自身の戦後の回顧録（『私の昭和史』未刊行。劉は遺族からコピーを渡された）と併読しつつ、戦時中の長野の言動を推察している。

真崎甚三郎

真崎日記によれば、一九三九年から敗戦四五年までの間に、しばしば長野が真崎を訪問している。会話の内容について、真崎は具体的な記述はできるだけ避けているが、長野の説に共感していることは随所にうかがえる。昭和十八年九月の日記には、長野の報告として、東京の食糧事情が窮迫していること、国民の士気が確実に落ちていること、中国では米軍の支援によって飛行場建設や油田の開発が進んでいることなどが挙げられている。

特に長野が強調したのは、対中国政策の転換はもちろん、日本国民の食糧難への対策や農民窮乏の救済の必要性、そして、民衆レベルで政府への不満が高まっていることだった。これは、前章で述べた長野の農村救済運動から見て自然なことである。

真崎甚三郎は皇道派の軍人であり、ある程度、昭和維新運動にも共感していた。五・一五事件、二・二六事件に象徴されるように、昭和維新運動に立ち上がった青年将校たちの思いは、何よりもまず国内の貧困問題、特に農村救済の実現にあった。長野はその意味で、真崎には多少期待するところがあったのだろう。

先の長野の回顧録はいまだ未刊行であり、かつ、戦後に書かれたものである以上、資料的な検討が不可欠だ。しかし、これまでの長野の諸著作からわかるように、日中戦争の行方について、長野が悲観的な見通しを持っていたことは確実である。長野が何らかの打開策や休戦案を提起していた可能性は充分に考えられる。

アジアの怪奇 中共

劉は、「少なくとも彼は主観的に日本の長期的国益のために着想し、戦争の早期終結を望んだ」「冷静に日中戦争の前途を憂慮したり、敗色の事実を素直に承認したりする態度は看過されるべきではない。彼は時流に盲従せず、その愚かさを克服しようとする眼があったと首肯できよう」と長野の姿勢を評価している。筆者は、劉の他の長野論には異論を覚えるが、このように現代の中国人学者に高く評価されたことは、何よりも長野にとって幸とされることだろう。

長野朗は、戦後その多くの著作をＧＨＱにより発禁処分とされたが、朝鮮戦争のさなかの一九五一年、『アジアの怪奇　中共』を国民教育社から発行した（現在は呉ＰＡＳＳ出版から復刊されている）。

もちろん、長野が優れた中国研究者であったとはいえ、この時点で、後の大躍進時代の飢餓や文化大革命の悲劇をすべて予言できたわけではない（チベット侵略すら、この段階では完全なものになってはいなかった）。しかし、中国共産党や毛沢東が、まだ多くの人の共感や希望を集めていた時代に、後の中ソ対立の構図や、民族問題などの点において、正確な判断を下しているのはさすがと思わせる。

少なくとも長野は、中国が国民党支配であれ共産党支配であれ、今後の世界情勢に巨大な影響力を持ち続けること、かつ「第三次戦」、つまり、ありうるかもしれない世界大戦の主役の一人であることを確信していた。

> 中国はソ連ではない。毛沢東はモスコウに行ってヌラリとスターリンの前に立って平気で話をしたので、スターリンの前に平身低頭する衛星国の首領を見慣れた側近者を驚かし

たといわれる。中共は自ら二十年の苦斗で天下を取ったのだ。ソ連に亡命していてソ連の軍隊に送り込んで貰った子飼の連中と違う。（中略）中共の将来は推測を許さない。中共には四千年の歴史の特色がついている。中共の動きは北はシベリアから南はインド、南洋にまでひびく、四百万の大軍を擁する中共の第三次戦の役割は大きい。

長野朗『アジアの怪奇 中共』

共産軍はなぜ勝利することができたのか

長野はまず、毛沢東と中国共産党はなぜ勝利したかを分析する。先述したように、初期段階においての彼らは、水滸伝に登場する山賊のような存在だった。

紅軍はその主力を分散せずに湖南、湖北、江西の三省に集めた。湖南は毛沢東の故郷で、小作料の高いところであり、小作人の割も一番多いし、地主は同時に高利貸でもあり、金利は月に一割ぐらいに当った。（中略）湖北もこれに似たものだし、江西は社団の公有地が多く、それが地方の有力者に合わせとられていたのと、結婚に多くの結納金がいるので、貧乏者は結婚できなかった。〔同前〕

このような情勢下で中国共産党は、中央から派遣された悪しき官僚や高利貸らを懲らしめる、水滸伝的な「義賊＝山賊」のような存在として支持を集めたのだ。長野は当時の共産党のスローガンとして、「小作料を取り立てたものは殺す」「借金を取り立てたものは殺す」といった（しかも、借金や小作料を言いなりになって収めた者も、敵と見なされて殺されるという）乱暴なものを紹介しているが、これこそまさに水滸伝的な世界観である。特に、スローガンの一つとして「結婚の結納金を廃する」という宣言を出したのが、支持拡大に寄与したという。これが、初期段階の中国共産党の姿である。

もちろん、このレベルの集団では、支持を得られても限界がある。長野は、共産党が勝利したのは、何よりも日本軍のおかげだということを、戦後間もなくの時期に断言していた。共産軍は、日本軍の侵攻、そして日本軍と国民党軍の戦いの中で発展してきたのだ。

日本軍は共産軍の種子播きのため開墾をやったようなものだ。日本軍が討伐すれば雲隠れする。引上げれば出てくる。二、三回やれば畑がすっかり出来て本当に共産党の根が張る。こうして日本軍は蔣介石を追っ払って共産軍のため道開きをしてやったのだ。中共の育ての親は日本で、毛沢東は日本軍に感謝状を捧げてもよい。〔同前〕

> 共産党ははじめから日本軍と戦う考えはなく、蒋介石軍と日本軍とを戦わせ、日本軍によって蒋介石軍を弱め、その地盤を削らせ、自分はその間に力を大きくすることを考えた。それには日本の軍部の低脳な頭はあつらえ向きに出来ていた。山西へ、武漢へ、広東へと、共産党の御用を務めた。〔同前〕

長野の指摘は、ほぼ正確である。当時共産軍は戦争よりも、むしろ勢力の拡大、民衆への宣伝と教育などに力を注いだ。長野は共産軍が農作業に協力し、物を買う時にはちゃんと代金を定価以上に支払い、宿泊も民家を避け、同時に若者に共産主義の教育をするなど、民心をつかむ努力をしていたことを指摘している。

日中戦争で日本軍が中国内部に進撃すればするほど、共産軍は、初期のような山中の戦いではなく、中国平原の農村の中に拠点を移した。ただし、当初都市革命を志向していた時代の共産党の農村政策は、急激な土地改革、富農と見なした農民へのテロを伴う攻撃や土地の強奪など、農村にむしろ打撃をもたらす面が多かったことも確かである。これが完全に修正されるのは第二次国共合作以後で、だからこそ、抗日戦争後期に共産党は支持を得たとも言えるだろう。

その後、ますます共産軍は有利に勢力を伸ばしていく。

長野によれば、抗日戦の中で共産軍は成長した。当初は数万人の勢力が、昭和十六年末には「華北、華中を合わせて三十万」となり、日本軍占領区域に「碁石のように密在」した。そこで政治工作員が活動を始め、農民や一部の労働者、また土匪が参加していった。また、国民党軍に対しても勧誘や宣伝を行って共産軍に引き入れ、各村に自衛団を作らせ、共産軍がその中核となっていった。

長野は同時に、国民党の北伐が共産党の農村への浸透を助けていた面も指摘している。伝統的な中国農村はそれぞれ地域の指導者、支配者が存在し、そう簡単には共産党でも浸透できない。しかし、蒋介石の北伐軍によって各地の旧支配層が敗走し、かつ、国民党軍が三民主義の原則に基づいて、一定の農村や地域の近代化、旧秩序の解体を行ったことによって、共産党はやすやすとその地域に入り込み、さらに急激な改革を推し進めたというのだ。この意味では、国民党による軍閥との戦争すらも、共産党勢力の拡張に繋がっていたということになる。

長野のこの指摘が正しいかどうか、筆者には判断できないが、少なくとも現場を見た人間の説得力を感じさせることは確かだ。実際、旧来の指導者のボス的な支配を解体した後、直ちに民主的な統治や制度が根付くはずもなく、共産党的な上意下達の統治システムが、むしろ現場では受け入れやすかった可能性は充分に考えられる。

同時に共産党の戦略は、とにかく、抗日戦争を持続して蒋介石を疲弊させることだった。国共合作はあえて言えば、その手段である。『民族戦』において既に長野は、この構図をほぼつかんでいた。そして、大東亜戦争後に生じた国共内戦において、共産党にとって最も有利に働いたのは、満洲がソ連の、つまり共産党側の勢力圏に入ったことである。

国共両軍の関ヶ原は満洲であった。満洲は昔から東亜の天王山といわれ、満洲を得たものが東亜を制するといわれている。ソ連は早くから満洲をねらっていた。日本の力により出来るだけアメリカの国力を消耗させ、アメリカにより日本を叩かせ、日本が負ける直前に飛び出し、刃に血ぬらずして満洲朝鮮をその手に収めんとした。そうして予定の如く事は運んだ。（中略）もしアメリカと蔣介石の手に満洲がはいったならば、ソ連も中共もどうにもならず、蔣介石の統一はなったかも知れないが、これがソ連と中共の手に入っては、国民政府の敗けである。サイコロは投げられ、アジア大陸は共産圏に入った。（同前）

ソ連は満洲占領後、日本軍の武装を解除したが、その武器はそのまま中国共産党に渡され、「新しく七〇万の中共軍が生まれ」たと長野は述べる。強化された中国共産党軍に国民党軍は対抗できず、敗北した蔣介石は台湾に逃れた。

ここで私たちは、一九六一年に訪中した、当時の日本社会党議員に、毛沢東が語った言葉を想起してみてもいいだろう。

日本の軍閥はかつて、中国の半分以上を占領していました。このために中国人民が教育されたのです。そうでなければ、中国人民は自覚もしないし、団結もできなかったでしょう。そしてわれわれはいまなお山のなかにいて、北京にきて京劇などをみることはできなかったでしょう。日本の「皇軍」が大半の中国を占領していたからこそ、中国人民にとっては他に出路がなかった。それだから、自覚して武装しはじめたのです。多くの抗日根拠地をつくって、その後の解放戦争（日本降伏後の国共内戦）において勝利するための条件をつくりだしました。日本の独占資本や軍閥は《よいこと》をしてくれました。もし感謝する必要があるならば、私はむしろ日本の軍閥に感謝したいのです。

北村稔『中国は社会主義で幸せになったのか』

中ソ対立という民族戦の「必然」

ソ連の戦略も、基本、抗日戦争時は蒋介石を支援して戦争を継続させることだった。

> ソ連は露骨に中共を助けるようなこともしなかった。「抗戦」を助けたのである。蒋介石が抗戦の主体となっている限り、彼を助けたのである。
>
> 長野朗『アジアの怪奇 中共』

日独を倒すために米ソは連携していたが、日本とドイツが敗れれば米ソ対立が起きるのと同様、長野は中ソ関係も将来的には対立に向かうことを、「民族戦」の論理として必然と考えていた。

> 目先の中ソの波が静まろうと荒だとうと、長い年月の動きを律するものはスラブ民族と漢民族との問題である。〔同前〕

この二つの民族はともに大陸民族であり、またスラブ民族は「移動の民」であって、当時、中国の北方に迫っていた。逆に、歴史上、常に匈奴やモンゴルなど「北方の民族」の脅威を感じてきた中国からすれば、かつて遭遇したこともない強大なソ連（＝スラブ民族）が襲ってきたのだ。

そして長野は、ロシアもまた、中国人のシベリアへの浸透作戦を恐れており、そのためにモンゴル人民共和国を独立させ、ある種の防波堤にしようとしていると指摘する。

ソ連が本当に恐れているのは漢民族だが、それは数十年か数百年の持久戦かも知れないし、武力の形式をとるか、平和の形をとるかわからない。〔同前〕

中ソ対立の芽を長野は民族問題に見た。これはアメリカ国務省の発表を長野なりに読み解いた結論なのだが、一九五〇年台初頭の段階で、少なくともモンゴルや満洲において、次の事態が中ソ間で生じていた。

①外蒙古（モンゴル人民共和国）はソ連が完全に浸透、支配している。

②満洲の農産物の六〇％が両国の貿易協定でソ連に提供されており、中国側に飢餓を引き起こしている。

③内モンゴルや新疆にもソ連は影響を及ぼし始めている。

①と③はほぼ事実であり、そもそも新疆こと東トルキスタンは、一九四四年にソ連の支援を受ける形で中華民国から独立したが、四六年、中国とソ連の間の密約により今度は中国共産党

の統治する中華人民共和国に再び併合されたのだった。

また、外モンゴルも初期の段階でソ連の支持により独立しているが、ソ連の影響は南（内）モンゴルにも及んでいた。戦後に送り込まれたウランフという中国共産党のモンゴル人党員はスターリンの崇拝者であり、ソ連型の連邦制と民族の一定自治を目指していた。だからこそ逆に、中国政府は、ソ連をはじめ「外国勢力」の影響を廃絶するために、自治区として併合した後も、徹底的な弾圧を加えて来たのだ。ある意味、ソ連と中国、両国のグレート・ゲームによって、これらの民族が犠牲になってきたと言っても過言ではない。

そして、長野が本書を記した時期は朝鮮戦争のさなかだった。長野は北朝鮮が南進を行った理由をいくつか述べているが、その目的の一つを「対日工作」と考えていることは興味深い。


アメリカが決心するまでに一週間ぐらいかかるから、その間に釜山まで出られる。そこで全国人民大会で新政府をつくれば国連も手が出ない。釜山まで出れば日本が動揺する。日本の周りには潜水艦が出没していたし、機械水雷が流れてきたりした。（中略）いろいろの噂が飛んだ。日本の治安は危くなっていた。〔同前〕

大東亜戦争後、米軍占領下の日本では、在日朝鮮人と日本共産党による共産主義革命を目指す運動が高揚していたことは事実である。この朝鮮戦争の時期は、日本国内でも祖国北朝鮮を攻撃するアメリカと、米軍基地のある日本を敵とした、共産党の山村《さんそん》工作隊、在日朝鮮人組織「民戦」などによる激しい武装闘争が繰り広げられていた。米軍の武器やガソリンを輸送する車両への攻撃、「血のメーデー」事件などは、その代表例である。当時の共産党指導者、徳田球一《きゅういち》は、北京から日本に向けて武装闘争を呼びかける「自由日本放送」を行っていた。

　日本共産党は後にこれらの武装闘争を全否定し、それまでは認めていた在日朝鮮人党員を追放するようになるが、この朝鮮戦争の時期、戦後日本が「治安の危機」にあったこと、それは特に朝鮮戦争に直接参戦していた中国と北朝鮮の何らかの遠隔操作や宣伝によるものだったことは事実である。だからこそ日本では、この朝鮮戦争において韓国が先に侵攻したかのような言説や、たとえそれが北朝鮮の侵攻であれ、その背後にアメリカの陰謀や工作があったかのような言説が、かなり後まで言論界に存在したのだ。この時点で長野が明確に北朝鮮の侵攻であることを明言しているのはやはり慧眼である。

　また、長野は朝鮮戦争における中国軍の参戦理由を、まずはソ連の圧力、続いてはアメリカの決断不足に見ている。

　もしアメリカが、中共軍が一歩でも鴨緑江を越えたら、満洲、北京を爆撃する決意を示

していたならば、中共は恐らく出なかったであろう。〔同前〕

しかし、長野も認めているように、仮にアメリカ中心の国連軍が中国を空爆すれば、対ソ戦、さらには第三次世界大戦の危機すら招きかねない。長野は明言はしていないが、この時点で、朝鮮戦争はおそらく分断国家のまま休戦を迎えると判断していたと思われる。

中共によるチベットの占領

長野は本書でチベット問題にも触れている。まず、チベットが事実上の独立国であったことを指摘した上で、中国共産党は「チベット解放の名の下に、最後にチベット領の中共化に乗り出した」と書いた。しかしこの段階では、長野は、中国軍はチベットに侵攻してはいるが、首都ラサを一挙に攻略するのではなく、むしろチベット政府内部を切り崩し、親中派と反中派の対立や衝突を見守っている状況ではないかと判断している。さらに、チベット側は自治を要請したのに対し、中共側は、ダライ・ラマが宗教、文化方面を支配することを保証し、外交と交通権、鉱山開発の独占権を要求したという情報を紹介しているが、これはチベットと中国間の条約内容、有名な一七条協定の「一国二制度」が、次第に中国側に有利に押し付けられていく過程の情報としては、一定程度、正しいものと言えよう。

そして長野は、このままではチベットは、インドをはじめ国際社会の具体的な支援を得られず（インドは批判声明などは出すだろうが、言説だけでは「蚊が食ったほどにも」中国にはこたえないだろう、と長野は言う）、結局、中国の「予定のコース」つまり征服を、時間の問題で受け入れざるを得ないだろうと推測しているが、残念ながら彼の予言は当たってしまった。

長野の指摘の中でも、もちろん外れたものも多い。朝鮮戦争による経済的疲弊（この時点でも長野は、共産主義は私有財産にこだわる中国民衆には受け入れがたいものと見なしている）などから農民の反共暴動が生じ、中国共産党が危機に陥るだろうという指摘は、全く外れた。また、当時すでに中国国内で反共ゲリラが出現したり、都市でも暴動が起きているという説を、長野は事実としていくつも引用しているが、これはおそらくアメリカ側の一方的な情報であろうと思われる。朝鮮戦争終結後、大躍進の時代には、無理な農業政策や人民公社の急速な導入によって経済は破綻、飢餓と共に一千万単位の犠牲者が中国全土で出現しており、農民は暴動など起こす気力もなかったのである。

ただし、広い意味で、共産主義思想は中国民衆には受け入れられないという長野の主張は、文化大革命の失敗と、改革開放経済の発展という形で証明されたのかもしれない。そして今起きているのは、中国共産党による世界に対する露骨な覇権主義、超限戦（従来の戦争概念を超え、テロ、心理戦、ネット上の情報戦など、あらゆる分野で制約なく行われる新しい戦争）という民族戦と、国内における他民族のジェノサイドという民族戦である。

国民党であれ共産党であれ、漢民族の「民族戦」の意志においては少しの違いもない、という長野の説は、予言通り、的中したと言えるだろう。

第七章　中華人民共和国　山賊政権の誕生

「盗賊皇帝」毛沢東の虚像

長野朗が『支那三十年』の中で生き生きと描きだした中国農村の自治社会、そして、飢餓や悪政によってそこから発生する「土匪」の存在ほど、中国の、そしてロシアのような大陸国家の本質を突いたものはないかもしれない。再びここで、長野の「土匪」の定義を紹介してみる。

外国では飯が食えなくなると失業者となって現わるるが、支那人は自主自治の民であるから自分で何んとかして食って行く。支那人からいえば、生きるということは最上の道徳であるから、正当な方法で活きられなければ不正な方法でも生きて行く。そこで弱くて正直なものは乞食となり、若くて強いものは流れて土匪となり、或は兵に応ずる。こうしたものが増えると支那の天下は乱れて来る。

長野朗『支那三十年』

この「土匪」を、長野は中国社会の秩序を支える儒教的価値観から自由で、同時に、民衆の英雄として見なされる存在と考えていた。その実態はともかく、少なくとも民衆の幻想の中では、土匪たちは権力をかさに着て、民衆から収奪する官僚や富豪などの特権層と戦う義賊であり、仲間同士では仁義が堅く、約束を守る「支那人の社会で珍しく嘘のない」水滸伝の英雄たちだった。土匪もまた、そのような理想像を自分たちに当てはめようとしていたのだ。そしてこの土匪こそ、中国共産党の原型である。

中国文学者の高島俊男は、著書『中国の大盗賊・完全版』（講談社）の中で、毛沢東を「盗賊皇帝」と呼んだ。これは高島の洞察であると共に、中国の現代知識人、王希哲の説を引用したものである。

王は毛沢東を、朱元璋、李自成、そして太平天国の乱を率いた洪秀全などと同様の、地主政権を覆した農民革命の指導者、「農民首領」であると述べた。毛沢東の優れていた点は、中国においてはマルクス・レーニン主義よりも、「梁山泊」つまり水滸伝的義賊の物語の方が、はるかに有効であることを知っていたことだった。少なくとも、農民反乱による政権奪取までは、毛沢東は見事に成功したのである。

一九六〇～七〇年代初頭あたりまで、毛沢東と中国革命が礼賛されていた時代には、毛沢東が最初に革命の根拠地を築いたとされる井岡山が「革命の聖地」のように語られていた。だが、高島によれば、もともとこの山地は「山賊」（土匪）の縄張りだった。毛沢東はこの土匪を「革命的」と称賛し、そこに居座ってしまい、その後、続々と共産党軍が入り込んできて、結局、乗っ取ってしまったのである。なお、もともとの山賊の首領は殺された。

　これは毛沢東だけではなく、山賊と連携した後、首領は殺すか追放してしまい、残った部下を中国共産党軍に組み入れるというのは、当時の共産党の基本方針だった。優れた水滸伝論を書いた高島は、これこそ、水滸伝の英雄たちが梁山泊を乗っ取ってしまうやり方と全く同じだと指摘している。もともと梁山泊は、王倫という山賊の首領が治めていたのだが、当時の官僚と対立して梁山泊に集まって来た林冲や晁蓋らは、最終的に王倫を殺害して、梁山泊を英雄たちの根拠地とする。

　先の王希哲は毛沢東を「農民首領」と呼んだが、もっと正確に言えば、これはまさしく「山賊首領」であり、長野の言葉を借りれば、土匪の親分なのだ。毛沢東の戦略とは、「土匪」の根拠地を作り、それを全国に広げ、農民や、国民党の兵士をも味方につけて都市を包囲し、最終的には武力で政権を奪取して皇帝になるというものだった。これは、中国の農民反乱と新王朝成立の伝統的な手法を取っただけなのである（その毛沢東の「思想」が、一九六〇年代末から七〇年代にかけ、欧米や日本のような先進国の新左翼に、マルクス主義の新しい道であるかのように映ったのは、時代の逆説としか言いようがない）。

　毛沢東が権力を奪取できたのは、何よりも「土匪」として行動したからであり、マルクス主義の影響をストレートに受けた李立山や、軍事独裁者の側面が強かった蒋介石とは、そこが違っていた。

毛沢東と中国共産党は、その実態はともかく、農民たちに対し、自分たちは「土匪」であると同時に「義賊」であり、腐敗した役人や富豪、そして軍閥から農民たちを解放してくれる水滸伝的な英雄であるという幻想を演じ抜いたからこそ、毛沢東は勝利したのである。

この問題をさらに深く考察するとき、私は思想史家の渡辺京二が、ロシアのピョートル大帝について論じた「非行としての政治」という文章を思い出さずにはいられない。ここで渡辺はロシア帝国を論じたのだが、同時に「東洋（アジア）の政治」の基本的形態を「徒党が成り上がって権力を取ることの繰り返し」と定義した。

> アジアにおいて、帝王権力がつねに神聖化され、その統治が伝統的性格を帯びて来たのは、周知のことである。しかしその帝王権力は、出自をたどれば山賊野盗の類いなのがつねであって、要するに郷村の伝統的生活秩序におさまらぬ連中が、徒党をなして上方へ疎外されたのである。東洋の専制権力はこういう奇妙な逆説を刻印されている。神聖君主のメダルの裏は粗野な非行者なのだ。
>
> 渡辺京二『民衆という幻像』

そして易姓革命の論理とは、この神聖君主が完全に正統的な王朝として確立したとき、次の「非行者」の群れが襲いかかって政権を奪取することなのだ。そしてこの「非行」は、必ずしも反乱や革命として実践されるとは限らない。逆に、反権力、反日常的な夢想や宗教の世界に隠遁する方向で現れることもある。老荘思想や竹林の七賢人に代表される、超俗的で高貴にも見える賢人たちも、伝統的な生活秩序からの同じはずれ者なのだ。

長野は、中国民衆の「自治」の世界を高く評価した。彼はそこに、近代的な国家権力や官僚支配から自由な、民衆の自立した世界を見いだした。当時の大陸浪人や「支那通」の軍人たちのほとんどが、革命家や軍閥、将軍などとの交流を中心としており、民衆の生活共同体などに関心を持たなかったのに比べ、長野の着眼点は中国の本質をついていた。

しかし長野に過ちがあったとすれば、彼が、中国民衆の「自治社会」の本質というものを見抜けなかったことである。実は、そこは、権力から自立した自治の共同体などではない。専制国家体制の神聖君主（ロシアにおけるツァーリや、中国の皇帝）体制下、日常的には権力の手が及ばないところに存在する民衆の、よく言えば伝統、悪く言えば陋習《ろうしゅう》に縛られた、停滞した村社会なのだ。そして、その伝統支配や停滞から抜け出した「非行者」の「徒党」は、仮に運よく政権を倒したところで、その統治は、やはり以前の専制君主と同様の、専制独裁と恣意的な暴政を繰り返す。

毛沢東が実際に政権を奪取した後、彼は政治的にも、経済的にも、ほとんど成果らしい成果を残せず、中国に、破綻に近い混乱と多大な死者をもたらした理由も全く同様である。彼は土匪政権として、その思想に「造反有理・革命無罪」以上のものは、何も持ち合わせなかった。とにかく、権威や秩序に逆らうことは正しく、易姓革命、つまり既存の正統政権を打倒することは正当化される。しかし同時に、決して反抗も革命も許されない存在が、ただ一つだけあり、それは毛沢東そのものである。

毛沢東にもし新しい面があったとしたら、従来の儒教ではなく、共産主義を「国の経典」とし、自分はその後継者であると定めたことだ。ただ、これもまた、中国民衆にとっては災《わざわ》いとして作用した。毛沢東の統治が伝統的な専制君主よりもはるかに苛酷なものとなったのは、この思想を強引にすべての民衆に押し付け、これまでは、たとえ専制君主下でも自治を保つことができた村落や家族の共同体を、文化大革命の中で完全に破壊してしまったからだ。専制君主と、すべての旧来の伝統や秩序を「科学的」に全否定する共産主義独裁との最悪の結合が生まれてしまったのだ。

長野は、私有財産を重んじ、家族の団結を基礎とする漢民族社会には、共産主義思想は適合しないことを何度も説き続け、『アジアの怪奇 中共』においても、初期共産党の過激な土地「革命」（富農へのテロをも辞さない弾圧を含む、徹底した階級闘争を農村で展開したこと）が失敗に終わったことを指摘する。その上で、国共合作の後、穏健な改革路線に戻り、農民の土地私有を認めて地域の安定を図ったことを評価している。しかし、こののち現実に毛沢東が行ったのは、人民公社という徹底的な土地「革命」と、私有禁止の政策であり、それは、最悪の飢餓と破綻を全土にもたらしたのだ。

中国の「国恥」対華二十一箇条の真実

長野は中国の抗日運動の原点を五・四運動においている。当初、学生の突発的で無秩序な運動にすぎなかったものが、英米の先導や支援を受けて正当化され拡大、その後共産党の介入により運動が思想的に変質、さらに国民党が運動を組織化し、反日宣伝に利用していく過程を、長野はつぶさに現場で見てきた。

長野が、国民党の映画などを使った宣伝が功を奏し、民族レベルでの反日意識が、世代を超えて深く刻まれていることを憂慮していたのは既に述べたとおりである。反日教育とある種の洗脳教育が、現在の共産党政権においてもさらに露骨な形で引き継がれていることは言うまでもあるまい。そして現在の中国では、この五・四運動こそが、中華人民共和国に連なる反植民地運動、革命運動の原点であるかのように美化されている。

だが、現在の私たちは、この五・四運動そのものが、果たして当時の時代において正当な政治的要求であったのかを冷静に考えてみるべきであろう。長野の言うように、五・四運動勃発当時は、一般の中国人、特に有識者や経済人の反応は極めて冷ややかだった。それは彼らが「反革命的」だったのでも臆病だったのでもなく、むしろこの運動の要求が無理筋であることを理解していたからではないだろうか。

言うまでもなく五・四運動は、一九一五年一月に日本が中華民国政府の袁世凱に対し、対華二十一箇条の条約締結を求めたことにより起きている。日本側はその後、妥協を重ねて五月七日に一部を削除した十三箇条とし、五月九日を期限とする最後通告文を提起、袁世凱はそれを受け入れた。この五月九日が、不法な要求に屈した「国恥記念日」として、中国側に記録される。

この二十一箇条条約は、日本の高圧的な外交を示すものとして、戦後の日本歴史教育でも、しばしば否定的に取り上げられてきた。しかし、条約を素直に読む限り、いまだ帝国主義の時代だった当時の時代を考えれば、日本側の要求は必ずしも極端なものではない。

以下、条文に沿って内容を解説してみる。なお、この二十一箇条は、第一号から五号まで、内容によって分類されている。

まず、第一号は四条からなり、第一条は、当時日本が占領していたドイツの植民地、山東省における権益を日本とドイツの間で成立した協定のまま認めよというものである。この時点では、中華民国は第一次世界大戦に対して中立の立場にあり、ドイツ軍とは全く交戦していない。そうである以上、日本とドイツの間の協定や賠償問題には、口をはさむ権利はなかった。

第二条は、山東省内やその沿岸島嶼を、他国に譲与・貸与しないよう中国に求めたものである。これも、ドイツとの戦争で日本が勝利して支配している領域に対し、中国が勝手に、ほかの国に領土を贈与・貸与しては、安全保障上の問題が生ずる。戦争中の条約としては、不当とは言えない。

第三条は、芝罘または竜口と、膠州湾から済南に至る鉄道（膠済鉄道）を連絡する鉄道の敷設権を、日本に認めよという要求である。これも、欧米諸国も同様に競って中国内にて鉄道建設を行っており、日本だけが特殊な要求をしたわけではない。

第四条は、外国人の居住、貿易のために、山東省の湾岸都市を開放することである。これも、中国全土の外国人租界の存在を考えれば、当時としては無理な要求とは言えない。

第二号は、南満洲および東部内蒙古について「日本側の優越なる地位」の明確化を求める要求である。

第二号は七条からなる。第一条は、旅順・大連の租借期限、満鉄・安奉鉄道の権益期限を九九年間、延長することである。もともと日露戦争後、ロシアは旅順・大連の租借権を日本に譲与していたが、その期限は一九二三（大正十二）年までとされていた。同様に、南満洲鉄道の利権は一九四〇年、安奉鉄道は一九二三年までである。これでは長期的な投資も開発計画もできない。九九年間という数字の是非はともかく、日露戦争という国民戦争で勝ち取った権利を、軽々しく、わずか数十年で放棄することはできないという発想は、当時の時代背景を考えれば、少なくとも日本側の要求としては不当とは言えない。

第二条から七条までは、日本人に対する諸権利の付与である。各種商工業上の建物の建設、耕作に必要な土地の貸借・所有権、南満洲・東部内蒙古における居住・往来、また各種商工業などの業務に従事する自由、鉱山の採掘権、他国人に鉄道敷設権を与えるとき、鉄道敷設のために他国から資金援助を受けるとき、また諸税を担保として借款を受けるときは日本政府の同意を得ること、政治・財政・軍事に関する顧問教官を必要とする場合は日本政府に協議すること、などが挙げられている。少なくとも、経済活動の自由を求めることは正当な権利であるし、顧問教官についての要求にせよ、袁世凱が軍閥だった時代に日本人を軍事顧問として迎えていた事実を考えれば、圧力や、傲慢な要求とまでは言えないだろう。

第三号は、漢冶萍公司という、中国最大の製鉄会社についての二条からなる要求であり、第一条は将来日本との合併会社にすること、第二条は、同社の所有する鉱山について、許可なく他国人に採掘権を与えないことを求めている。もともと同社は、事実上ドイツの勢力下にあった

（ドイツは三百万両《テール》の巨額融資を行っていた）。日清戦争後は、この公社は民間会社となっており、国家間条約で議論すべき問題かどうかの疑問は残る。しかし、孫文はこの会社を担保として三井財閥と借款計画を結ぼうとした時期もあり、これも日本側の不当な要求とは言えまい。

第四号は、中国沿岸の港湾・島嶼を外国に譲与・貸与しないことであり、これも内政干渉と言えば言えようが、中華民国が反対しなければならないものでもない。

第五号は、中国政府に政治顧問、経済顧問、軍事顧問として有力な日本人を雇用すること、中国内の日本の病院・寺院・学校に対して、その土地所有権を認めること、中国警察と日本警察との連携、中国警察に多数の日本人を雇用すること、などである。この内容を中国側が暴露し、国際的にも論議を呼んだが、もともとこの部分は日本側の「希望」であり、後に撤回されている。大隈重信首相も、この条約が締結されれば山東半島の中国への返還を行うつもりであり、事実それは実行された。

こうして二十一箇条条約を再読してみれば、必ずしも「国恥」というほど、中国側に不利な条約が押し付けられたわけではないことがわかる。ドイツ植民地の山東省が日本軍により占拠されたからと言って、その全権が直ちに中国に戻されるというのは、当時の世界常識ではありえないことである。だからこそ中国側は、講和会議において諸外国の積極的な支持を受けられなかったのだ。

私は日本人だからといって、すべて日本側の肩を持とうとは思わない。しかし、五・四運動に立ち上がった学生たちが、この条約内容を充分に理解していたとはとても思えない。いや、逆に言えば、長野が無類の宣伝上手と認めている漢民族の運動家たちが、国民党であれ共産党であれ、冷静な条約内容の分析など無視して、すべてを反日プロパガンダとして利用していった工作の巧みさを見るべきなのかもしれない。

長野は、中国側の様々な不平等条約撤廃の要求に、一定の理解を示している。しかし同時に、不平等条約が結ばれたのは、いまだに中国が一人前の国家ではないからであり、それを撤廃したいのならば、同時に、義務や責任を国際社会において果たさねばならないと指摘している。そのことを無視し、外交文書において一方的な宣伝工作を行い、国民間に不要な対立を、しかも半永久的とも言われる宣伝工作や青少年への洗脳教育で行うようでは、国際的に平等・対等の関係になりうるものではないのだ。

中共と漢民族の「民族戦」は続く

また、長野が終始強調したのは、日本は満洲の地を軍事的に制圧し、後に満洲国を建国したかもしれないが、「民族戦」では、その満洲でも中国に敗北しつつあるという現実だった。清帝国時代、形式的ではあれ守られていた満洲への漢民族流入は、満洲国建国後、逆に阻止できなくなったのである。漢民族の移民がそのまま「人口侵略」に直結し、長期的には漢民族優位の環境が出来上がるという意識を、長野ほど強く主張していた人物はいない。

特に長野は、満洲とモンゴルに対する漢民族の人口流入に対して強く警告しているが、戦後の中華人民共和国建国後「国内植民地」であるチベット、南（内）モンゴル、ウイグルにおいて、漢民族の移住は国策として実行された。それが最も激烈に、残酷な形で行われたのは、文化大革命時代の南モンゴルにおける「ジェノサイド政策」である。

当時すでに、南モンゴルにおけるモンゴル人の人口比率は、せいぜい二〇％ほどであり、ほとんど漢民族の「領土」と化していたが、この「漢民族移民」たちは、彼らが支配者となったとき、以下のような残酷な虐殺や拷問を繰り広げたのだ（文化大革命時代に南モンゴルで何が行われたのかを、勇気ある証言者の記録によってまとめあげたものに、楊海英氏の『墓標なき草原』〔岩波書店〕がある）。

中国政府ですら、その公式見解で、この時代に三四万人が逮捕され、二万七千人が殺害されたことを認めている。この時代のモンゴル人の人口は約一五〇万であるから、五人に一人が逮捕され、五〇人に一人は殺されたことになるが、拷問の過程で身体障碍者にされた人や、死の間際で釈放され、その後すぐに亡くなった人を加えれば、犠牲者は数十万に及ぶという説もある。

ここで重要なのは、この南モンゴルで行われたことは、単に毛沢東主義や文化大革命に対する政治的な敵対勢力と見なされた人々への攻撃ではなく、モンゴル人であること、モンゴルの文化を維持しようとすること、それ自体が、攻撃対象となっていたことである。その究極の目的がモンゴル民族の絶滅にあったことは、現在のウイグルの収容所体制化、チベットの虐殺と宗教弾圧、南モンゴルにおけるモンゴル語教育の完全否定などを見れば、明らかなことだ。中国に併合され、人口侵略を受けた土地で、その次に起きるのは、民族虐殺政策なのである。

ここで、当時、この残虐行為を支持した漢人共産党員の言葉を、楊海英氏の論文「中国共産党によるモンゴル人ジェノサイド実録」より、まとめて紹介する。これこそ、ヘイトスピーチと言うにふさわしい、モンゴルで虐殺を繰り広げた人民解放軍司令官、趙徳栄の言葉である。

> おれはモンゴル人を見ただけで気分が悪くなる。シリンゴル盟の全モンゴル人たちをえぐり出して粛清しても、全国から見れば、ごく僅かだ。
>
> 楊海英「中国共産党によるモンゴル人ジェノサイド実録」

内モンゴルの解放軍部隊にいるモンゴル人兵士たちのなかには悪いやつが多い。政府機関にもろくなやつは一人もいない。文化大革命を利用して、モンゴル人たちをしっかりとやっつけよう。モンゴル人といえば、良いやつは一人もいないのだ。

　モンゴル人たちを百パーセント内モンゴル人民革命党員として粛清しても間違いではない。やつらが死んでもびっくりすることは何もない。大したことではない。モンゴル人たちが一人ずつ死んでいけば、我々は大変助かる。〔同前〕

　他にも「モンゴル人の生皮を剥ごう」などという、ここで示したよりもはるかに残酷な言葉が平然と横行し、拷問やレイプ、虐殺が、政治的に正しいことであるとして実行されていたのである。楊氏の紹介する様々な証言は、ここでは残酷すぎるし、論旨ともずれるので、ここまでとする。

　モンゴル人がここまで虐殺された理由の一つは、農耕は文明であり、牧畜や遊牧は野蛮であるという、漢民族特有の文明観にほかならない。モンゴルの草原は降雨量が少なく、農耕には全く適さないというのに、漢民族は、この広大な土地を耕さないのは野蛮なモンゴル人の怠慢だと、自分たちの価値観を押し付け、土地を強引に耕地にしていった。羊や馬のみならず、草原に住む野生動物は乱獲され、しかも少ない雨のため開拓した畑に作物は実らず、草原は一層砂漠化し、モンゴル人はかつて経験したことのない飢餓に苦しんだのである。そして今も、南モンゴルの地は砂漠化しつつある。

この南モンゴル（またチベット、ウイグル）の悲劇は、中国共産党に征服されて国内植民地となり、その地に漢民族が移住して支配したことによって起きたものである。彼ら諸民族はすべて、ほぼ同一のことを語る。当初移住してきた漢民族は決して非友好的ではなかった。むしろ仕事や重作業を手伝ったり、他民族とも交流したりしようとしたのである、と。しかし、彼らの数が増え、地域の支配権を持ち始めると、態度は一変していった。そして、彼らが支配者となったときは、他民族の権利や文化、いや、肉体と生命までが、抹殺の対象となっていったのだ。

長野は満洲人が「自然消滅」し、モンゴル人が圧迫されていった過程を描き、また、ウイグルやチベットの地における緊張を、いち早く見抜いている。そしてこの二一世紀、長野の予想を超えて、中国共産党と漢民族の「民族戦」は、一帯一路政策、東シナ海・南シナ海への侵略と覇権主義といった形で現れ、同時に、国内の諸民族へのジェノサイド、香港の封殺、台湾への脅迫などに及んでいるのだ。

長野は著書『民族戦』の最終部で、以下のように述べた。本書の最もふさわしい結論として、再度掲載しておきたい。

長野は、漢民族の「民族戦」を否定し、これに打ち勝たねばならない理由を、次のように挙げている。

第一には支那の民族発展は排他的独占的であって、民族帝国主義ともいうべきものであり（中略）自国を中華とし、支那民族を以て世界を征服せんとするから、他民族との共存を考えず、其周囲の各民族に対し、四千年間侵略と同化とを続けて来た。（中略）国民党は最も露骨にそれを現わしている。今回の事変に際しても、この支那民族の心理は到る所に現われ、支那人は之を民族戦と呼んでいる。親日派も反日派も、南方人も北方人も、之の漢民族意識に立つ時、彼等はすべて同じものであり（中略）之を別物と見るのは日本人の錯覚に過ぎない。

長野朗『民族戦』

第二は支那人の利己的観念である。支那人の唱うる不平等条約の撤廃も、表面の言葉に眩惑されてはならない。この中には二つの意味が含まれている。一つは支那の国家主権の独立であって（中略）当然のことであるが、もう一つは利権回収の運動であり、これは支那人の利己的観念から出たもので他国民と共存するのでなく、すべての利益を漢民族の手に独占せんとするものである。〔同前〕

第三には支那民族の進出が搾取的なことである。満蒙に於ても南洋に於ても、支那民族の発展は多民族の搾取の上に行われ、他民族の生存を冒し、之を滅亡せしむるに至るものである。〔同前〕

第四には支那民族の移住により廃頽気分を持ち込む。支那人の往く所、影の形に添う如く付き纏うているのは阿片と賭博と秘密結社の三つである。〔同前〕

東亜に渦巻く民族戦にどう処して行くか、それには各民族の正しくない出方は匡され、各民族の発展は正しいものにならねばならぬ。（中略）世界にも各種の民族がいて、各々独自の民族文化を発揚することにより、始めて人類は進歩発達を遂げて行くものである。従て大民族が小民族の存在を認めない利己的な行き方は良くない。各民族の競争は武力的、経済的、民族的侵略によって行わるべきものでなく、文化的に行わるべきものであり、各民族発展の衝突は利己を制し、共存的に調整さるべきである。〔同前〕

この言葉は、長野朗の時代以上に、現在、悪しき中華思想と全体主義体制、そして強大な武力による侵略意思を鮮明にした習近平体制に、より当てはまるものであろう。もし私たちが「各民族の共存」を望むのならば、現在の習近平体制とは、共存しえないのだ。そして、漢民族が平和に世界で他者と共存していくためには、この「民族性」の負の側面からの脱却が必要不可欠であることを、長野は「支那通」として痛感していたように思われるのである。

おわりに

長野朗について書き終えて、私は今も大きな問いを抱えたままでいる。私はささやかながら、中国の民主化運動や、現在弾圧されているウイグルほか各民族の問題などに関心を持ち、関わりも持ってきたつもりである。そこでしばしば議論になったのは、現在の中国政府、特に習近平政権の誕生以後顕著になっている覇権主義や他民族へのジェノサイドは、中国共産党の問題なのか、それとも、中国人、漢民族の中華思想や民族性の中に、このような行為を引き起こす要因が内在しているのかという問題である。

これは慎重に取り扱わねば、ある種のレイシズムに陥りかねない問題であり、また運動の現場においては、まず、中国共産党の一党独裁と全体主義支配こそがすべての問題を引き起こしている、ということを共通認識にすることが第一である。だが、あらゆる民族に（日本も含めて）民族性や民族文化があり、そこには長所も欠点もある、ということもまた、認めるしかない現実だ。こういうことを言うと、民族などという概念は幻想だ、ベネディクト・アンダーソンを読め、とか言われることはわかっているのだが、民族という共同体や歴史伝統という物語は、確実に私たちを支配しているのである。現実にウイグル人やチベット人、モンゴル人たちは、彼らの民族性が原因で弾圧されている。「民族などという幻想を捨てよ」という論理は、知識人諸氏の頭の中でしか成り立たないものなのだ。

　そして長野の著作には、どのページにも、軍閥や政治指導者から、兵士、民衆、そして匪賊に至るまで、様々な中国人の姿が鮮明に描かれている。これは断言できるのだが、長野が彼らに対する深い愛情を持っていなければできないことだ。特に民衆や匪賊といった、権力や政治思想とは無縁の存在について語る時、長野の筆は生き生きとしてくる。そして、遠慮会釈なき批判や、時には侮蔑的にも見える表現は、深く中国人と付き合わなければ、逆に書けないものだ。その長野の姿を、ぜひ私は紹介しようと思った。

　長野は、中国人が、その宿痾である中華思想や民族性における問題点を認識し、それを克服することが必要であり、日本が中国をその方向に導くことが、日本自体の覚醒にもつながるという結論に至ったと私は確信している。そしてそれは、現代の中国人、そして私たち日本人の課題でもあるはずなのだ。ウイグルやチベット、モンゴルにおける運動も、自らの民族を解放する闘いは、同時に中華思想から中国を解放することにもつながっていくはずである。

本書の執筆をハート出版から依頼されたとき、正直、私は気軽に引き受けてしまった。その時は長野朗について、単に中国の問題点を告発した戦前の論客、という程度の認識しか持っていなかったのだ。しかし読み進めていくうちに、この人はそんな簡単な論理で片付く書き手ではないことが分かった。呉ＰＡＳＳ出版の復刊本を手掛かりに、ネットや国会図書館などで、様々な長野朗に対する論文を探すことになり、そこからは多くを学ばせていただいた。特に、大東文化大学の西谷紀子氏の研究論文にはお世話になった。長野の多くの論説を整理し、その先駆性と問題点を明らかにした西谷氏の仕事を読むにつけ、日本のアカデミズムはまだまだ大丈夫なのだな、という深い感銘を覚えた。ここに深く学恩を謝する。

諸論考の助けを借りて、長野朗というユニークな中国研究者（書き終えて、この肩書こそが、彼に最もふさわしいように思える）について、どうにか書き終えることができた。長野の本質をどこまで描けたか私には自信はないけれども、読者が本書をきっかけに長野自身の著作を手に取っていただければ幸いである。個人的には『支那の真相』を、まずお勧めする。

編集の西山世司彦氏には大変お世話になった。本来数か月前に出来上がっていなければならない本書が、筆者の怠慢から遅れに遅れたことは、正直顔を見られないほど申し訳ない思いである。どうか西山さんの努力が、少しでも報われることを祈ってやまない。

◆著者◆

三浦 小太郎（みうら　こたろう）

昭和35（1960）年、東京生まれ。獨協高校卒。現在、アジア自由民主連帯協議会事務局長。

著書に「なぜ秀吉はバテレンを追放したのか」（弊社刊）、「渡辺京二」（言視舎）、

「嘘の人権　偽の平和」（高木書房）、「ドストエフスキーの戦争論」（萬書房）などがある。

漢民族に支配された中国の本質

令和３年 10月20日　第１刷発行

著　者　三浦小太郎
発行者　日高　裕明
発　行　株式会社ハート出版

〒171-0014 東京都豊島区池袋 3-9-23
TEL.03(3590)6077　FAX.03(3590)6078
ハート出版ホームページ　http://www.810.co.jp

定価はカバーに表示してあります。

ISBN978-4-8024-0127-2　C0030

印刷・製本　中央精版印刷株式会社

なぜ秀吉はバテレンを追放したのか

世界遺産「潜伏キリシタン」の真実

三浦小太郎 著

ISBN 978-4-8024-0067-1　本体 1600 円

[復刻版] 初等科国史

文部省 著　三浦小太郎 解説

ISBN978-4-8024-0084-8　本体 1800 円

[復刻版] 高等科国史

文部省 著　三浦小太郎 解説

ISBN978-4-8024-0111-1　本体 1800 円

犠牲者 120 万人　祖国を中国に奪われたチベット人が語る

侵略に気づいていない日本人

ペマ・ギャルポ 著

ISBN978-4-8024-0046-6　本体 1600 円

チベット人だからわかる

中国は消防士のフリをした放火魔

ペマ・ギャルポ 著

ISBN978-4-8024-0107-4　本体 1400 円

日本がアジアを目覚めさせた

語り継ぎたい「20 世紀の奇跡」インド独立への道

プロビール・ビカシュ・シャーカー 著

ISBN978-4-8024-0105-0　本体 1400 円

在日ウイグル人が明かす

ウイグル・ジェノサイド

ムカイダイス 著

ISBN978-4-8024-0112-8　本体 1400 円